WHY FRIENDSHIP MATTERS

送给朋友的花束

[英]米歇尔·门德尔松
(Michele Mendelssohn) 编著
丁林棚　朱红梅　译

中国出版集团
中译出版社

目录

导读

人类的历史就是友谊的历史。在 21 世纪，由于网民玩世不恭的操作，友谊的情感纽带似乎贬值了——给你发脸书信息的陌生人会说:“嗨，我叫安娜，加我好友吧!”但正是由于脆弱的数字关系可有可无，真正的友谊比以往任何时候都更重要。真正的友谊无比重要，因为它是真切存在的，而鼠标的点击永远不会触碰到这样的情谊。

然而，网络上的“朋友”，那些真实世界的幽灵，会让我们感觉到生活在现代世界中的孤独。不过，这种感觉其实一点也不新鲜。“群氓不可以为伴，人面无异廊中画像……并无爱可言，”弗朗西斯 · 培根在 17 世纪观察道。数字技术只是提醒我们这个永恒事实的最新方法而已。

当然，增长惊人的网上“友谊”，有时确实会促成现实世界的友谊。从爱丁堡搬到盐湖城工作之前，我在网上遇到了一位名叫尼基的朋友，他是希腊裔美国医生，经营着一家社交俱乐部。我的飞机降落几天后，我们就已经开始分享自制的果仁甜饼了——尽管有些黏糊糊的。十年过去了，几次搬迁之后，尼基仍然是我最亲密的朋友之一，我们两个都珍视这份跨国友谊，通过 WhatsApp 同聊、长时间电话交谈，抑或偶尔的促膝交谈等松散地维系我们的联系。当我读到简·奥斯汀《爱情和友谊》中的信件时，我想起了我们的数字聊天。

最早关于友谊的一些讨论出现在古典作家的作品中，包括柏拉图、亚里士多德和西塞罗。本书收录的，文艺复兴时期的散文家蒙田重新诠释了他们关于友谊的思想，并以最崇高的形式表达了友谊的内涵——朋友是灵魂伴侣。他为什么爱他的朋友？蒙田答曰：“因为是他，因为是我。”没有比这个更简单、更真实的答案了。这就是亚里士多德所说的真正的友谊，因为它建立在共情和相互同情的基础上。几个世纪后，大西洋对岸的绿山墙的安妮渴望“一位知己，一位密友，一位真正志同道合的人，我可以向她倾诉我内心深处灵魂的声音”。来到了 20 世纪中叶的纽约，一位年轻的作家奥德雷 · 洛德认为，自己能找到这样一位朋友，实在是三生有幸。在她的描述中，这样的际遇改变了生命，而且毫不夸张。因此，我们不会感到惊讶，古代哲学家、万众景仰的女英雄和民权活动人士都渴望实现同样的理想。对友谊的渴望是普世皆有。

然而，友谊不会循规蹈矩地臣服于任何普遍的制度或法律。世上存在实用的友谊，比如弗朗西斯 · 培根和爱丽丝 · 艾玛 · 艾夫斯所描述的王室伙伴和权贵知己。美国哲学家拉尔夫 · 沃尔多 · 爱默生写道：“我憎恶人们滥用友谊之名，用它来表示时髦而俗不可耐的联盟。”那些与我们同甘共苦的人也可能帮助我们提升自我。爱默生的同胞、逃亡奴隶哈丽特 · 雅各布斯则讲述了一个品质高尚女人的动人故事，这位女人的善良和二人的交谈让雅各布斯恢复了自信。很长一段时间以来，人们一直认为，女性彼此间不能成为朋友。除了少数例外情况，这种无稽之谈似乎一直盛行，直到 19 世纪，女性作家才对这种观念提出反对，正如记者艾丽斯·艾玛·艾夫斯在文集的选段中所做的那样。奥德雷·洛德的贡献揭示了女性友谊的辉煌。

朋友可能是一种安慰，但他们也能带来一种颇有价值的不适感。这个文集中收录的作家都承认，一位愿意为我们的缺点竖起坦诚之镜的朋友，会使我们精神振奋。当然，我们不必同意他们的意见。事实上，我们可能更愿意继续相信美丽的谎言，而不是丑陋的真相。18 世纪的詹姆斯·博斯韦尔在日记中就记录了塞缪尔·约翰逊和奥利弗·戈德史密斯之间关于友谊的激烈辩论。

然而，我们能为朋友而忍受的东西是有限的。奥斯卡·王尔德在童话故事《忠实的朋友》中警告我们，躲开那些虚伪的朋友，他们心里只想着自己，却走到你跟前对你说:“真正的朋友总是逆耳忠言，不介意给你带来痛苦。”我们要当心那些会把友谊变成仇恨的各种伤害和冒犯。

最重要的是，要警惕那些缓慢杀死友谊的疏忽。塞缪尔·约翰逊睿智地指出，“友谊最致命的疾病是友情的逐渐衰退”。你知道其中的问题所在：你的朋友有了孩子或找到了一份新工作，之后逐渐淡出你的生活，进入一个充满玩伴的世界，或是在董事会办公室里踌躇满志地展望未来。我们必须想办法改变这种不可避免的消退和衰败。可是，应该怎么办呢？小说家莎拉·奥恩·杰维特建议，到不同的地方见面，到户外去，或者一起吃面包。美好的情谊总是友谊的食粮。

安妮·萨克雷·里奇写道，“对许多人来说，仅仅是朋友的名字就足以讲述我们自己的生活史”。她还写道，“当你仔细思考诸多朋友的名字时，每个名字似乎都是对过去的一种新的感觉与解释”。列出你所有朋友的名字吧——从第一天直到今天——你会发现，你这样已经写出了一篇迷你自传。我们的存在是我们关系的总和，而朋友是你选择的家人。

里奇观察到，“笔墨朋友的魅力在于他们忠贞不变”，这种品质使一个人成为他人能拥有的最好的朋友。我希望这本书里的文章也能成为你们的朋友。当你需要的时候，我希望这些章节成为滋补你的营养品；在你需要的时候，它会慰藉你，在这里，你可以放下忧虑。在每一章中，你都会发现一个新的伴侣，或者拜访一个熟悉的老朋友。你可能想一口气把文章全部读完，或者随时翻阅。或许你会忽略这些文章，但它们永远都会陪伴在你身边，随时准备给你提出建议，直接亲密地与你交谈，让你深思、惊叹或开怀大笑。

迈克尔·门德尔松

爱情与友谊

简 · 奥斯汀

1775—1817

奥斯汀的作品兼具优雅和讽刺，对社会关系、人类心理和社会制度做出了永恒的思考。她在十几岁时就开始写作，并出版了《爱情与友谊》，本书即收录了其中选段。《理智与情感》《傲慢与偏见》《曼斯菲尔德庄园》和《爱玛》都是在奥斯汀 30 多岁时完成的。这些小说展示了奥斯汀罕见的写作能力，她以不同寻常的视角有趣地描绘了日常生活。奥斯汀敏锐地观察到人类的弱点，经常用讽刺的眼光审视 19 世纪英国摄政时期的社会，滑稽地剖析这个时代人们夸张的情感表现和亲族的虔诚。在《爱情与友谊》中，一封封充满喜剧色彩的通信，里面不时出现拼写错误，讲述了几个朋友的冒险经历，还有亲戚意外到访、主人公不断昏厥等场面，均带有尖刻的嘲讽意味。作品以轻快的笔调讽刺地模仿了恶俗的友谊和浪漫爱情，G. K. 切斯特顿称之为“一部让人大笑不止的作品”。

第 1 封信

伊莎贝尔致劳拉

我曾经一再肯求[①]你，请你给我女儿讲一讲你生命中的不幸和遭遇，可是，不知道有多少次，你回答我："不，朋友，我不能答应你，除非有朝一日我不再经历这样可怕的遭遇。"

毫无疑问，眼下就是这个时刻。你现在 55 岁了——假如一个女人能够躲过她所厌恶的情人的不懈纠缠，免受固执的父亲的冷酷逼迫，并能够保全自身的话，那么，现在就是你所说的那一时刻。

伊莎贝尔

---

① 如导言中所述，作者在本文中故意使用了大量拼写错误的单词，以突出作品的喜剧意味，如"freind"（friend），"agreable"（agreeable）等。为了更好还原原著风格，译文在原文错词的对应位置也使用了错别字，如"至有"（挚友），"和法"（合法），"美利"（美丽）等。译者注。

第 2 封信

劳拉致伊莎贝尔

你说，我的不幸遭遇已经成为过去，不会再有了；这话我虽然不尽同意，但还是很乐意满足你女儿的好奇心，给她讲一讲，也免得你说我不通情理，没有善意。在我过去的生命中，我以坚韧的态度承受了百般苦痛，但愿我的这种顽强精神对你女儿有益，让她学会如何面对她未来生命中的遭遇。

劳拉

第 3 封信

劳拉致玛丽安

作为我至有的女儿，我想，你理应了解我的不幸遭遇。你母亲一再请求我给你讲讲这一段经历。

我的父亲是爱尔兰人，长在威尔士，母亲是一名苏格兰贵族和一个意大利歌剧演员的女儿。我出生在西班牙，在法国的一家修女学院接受教育。

十八岁那年，父母把我带回威尔士与他们同住。我们家的庄园坐落在乌斯克谷一块最浪漫的地方。虽然我现在的丰姿因我的不幸遭遇而黯淡不少，但我也曾是个绝色佳人。不过，我的美貌与我的优雅和完美相比则无足轻重。一般女性应有的百般技艺，我样样精通。在修道院上学时，我总是领先于老师的训导，对于我的年龄而言，我的成就可谓卓跃超群，而且很快就超越了我的老师。

在我的心灵中，每一种能够装点它的美德都已到位；我的心灵就是一切卓越素养和高尚情操的集合。

对朋友、熟人的痛楚，我有一种敏锐的感受力，那种感觉不断牵动着我，感同身受。我个人的每一种痛楚，都让我无法释怀。这，就是我唯一的缺陷，如果这算的上是缺陷的话。呜呼！现在，一切已物是人非！我的不幸遭遇对我造成的影响的确从未减弱，可是现在，对他人的不幸，我却无法感同身受了。我的那些成就也开始消退——我不再像先前那样能歌善舞，连宫廷舞也忘得一干二净。

在见

劳拉

第 4 封信

劳拉致玛丽安

我们的邻居很少，只有你母亲。她可能早已告诉过你，她的父母穷困潦倒，抛弃了她。因此，为节省开消，她搬到威尔士居住。我们的友意也就是从这里开始的。伊莎贝尔那时二十一岁，虽然她身材迷人、落落大方，但（咱俩知道就行）她的容貌和才能还不及我的十分之一。伊莎贝尔见过世面，在伦敦的第一家寄宿学校待过两年，在巴斯住过两个星期，并在南安普顿吃过一次晚饭。

“我的劳拉啊，你可得当心（她常常这样说），要提防英格兰大都市里飘渺的虚荣和无度的奢靡，要当心巴斯浅薄的华侈和南安普顿的鲍肆之臭。”

“哎呀！（我惊叹道）我怎么才能抵制住这邪恶的诱惑，不受其影响呢？我怎么可能有机会去尝试伦敦的奢靡、巴斯的华侈和南安普顿的鲍肆之臭？我注定要待在乌斯克谷的这个破败农舍中，虚度我的青春韶光。”

啊，可是我从未想过，我很快就会离开这个鄙陋的农舍，投入到这升色犬马世界的怀抱中！

在见

劳拉

第 5 封信

劳拉致玛丽安

一天傍晚，当时正是十二月，我和父母正围坐在壁炉旁闲聊，忽然有人敲门，那声音从农舍院门传来，很急促，把我们吓了一跳。

父亲惊跳了一下:“什么声音？”

“好像有人在使劲敲门。”母亲回答道。

“没错。”我喊道。

“我也这么想，”母亲说，“的确是从那边传来的，好像有人在特别用力地砸门。院门可经不住这样用力砸。”

“是的，”我喊道，“一定是有人想进来。”

“那是另一码事，”他说，“我们不能这样轻易断定敲门者的意图，可那人确实是在敲门，我也差不多这样认为。”

这时又传来更猛烈的敲门声，打断了父亲的话，甚至有些让我和母亲感到惊惧。

“我们是不是应该去看看谁在敲门？”她说，“仆人都出去了。”

“对。我们应该去看看。”我回答说。

“当然了，”父亲补充道，“越快越好。”

“哦，那就马上去吧。”我喊道。

第三次愈发猛烈的敲门声传来，那声音比前面更刺耳了。

“肯定是有人敲门，”母亲说。

“一定是的。”父亲回答道。

“我想仆人们已经回来了，”我说，“我听到玛丽正在去开门。”

“那敢情好，”父亲喊道，“我想知道是谁。”

我的猜测是对的，因为玛丽已经进了屋，告诉我们有一个年轻绅士和仆人正在门口候着，他们谜了路，浑身发冷，请求在我们这里烤烤火。

“那还不让他们进来？”我说。

“你不反对吧，亲爱的？”父亲说。

“这怎么可以拒绝呢？”母亲回答道。

玛丽没有再等我们吩咐，就径直离开屋子去开门了。很快，她返了回来，向我介绍随行进来的那位年轻人，他相貌英俊，友善亲和，我从未见过这样的男子。至于那个仆人，玛丽留给了自己。

这个不幸的陌生人的痛苦极大地触动了我，一种天然的柔情油然而生。从我看到他那一刻起，就冥冥中感觉，我未来生活中的幸福或不幸就和他难以分割了。

在见

劳拉

第 6 封信

劳拉致玛丽安

那位高贵的年轻人告诉我，他名叫林德赛。出于特殊考虑，我就不透露他的姓氏了，且用泰尔伯称呼他吧。他告诉我，他是一个英国男爵的公子，母亲已经过世多年，还有一个姐姐，身材中等。“我父亲，”他继续道，“只对钱感兴趣，生性吝啬小气——他的这些弱点，我只会对在座的几位透露，因为你们是我亲爱的朋友。友善的波里多尔（他这样称呼我的父亲）、亲爱的克劳迪亚和美丽的劳拉，你们的崇高品德使我可以放心向你们倾诉衷肠。”我们向他鞠躬回了礼。“我父亲财迷心窍，一心逐名趋势，贪求浮名虚誉，硬要我娶多萝茜娅小姐为妻。我绝不娶他，我喊道。多萝茜娅小姐漂亮可人，没有其他女人可与她媲美。但是，父亲，如果遵照您的意愿娶她为妻，这是我不屑的。不，我绝不会让人家说，我是听父亲的话才结婚的。”

他的回答有一种男子汉的铮铮气概，这让我们都感到钦佩。他接着说道：

“爱德华爵士很吃惊，或许他从未曾料想会遭到这么强烈的抵抗。‘爱德华，我想知道，你哪里来的这派胡言？你是不是小说看多了？’我不屑回答他的问题，因为这样做有辱我的尊严。我跃上马背，带着忠诚的威廉，动身前往姨妈家。

“我父亲的房子在贝德福德郡，姨妈家在米德尔塞克斯。虽然我自认为还算精通地理，能够找到姨妈，可是不知怎么搞得，竟然来到了南威尔士美利的乌斯克谷。

“在乌斯克河岸边徘徊了一阵子，不知去处，我便开始惋叹命运的残酷。天已经完全黑下来了，没有一颗星可以为我指引前进的方向，我也不知道会发生什么。终于，透过四周肃穆而黢黑的夜色，我看到远处有一点灯光，走近后才发现，原来是你们家的灯火，那明亮的火光让我感到阵奋。我又冷又饿，感到害怕，重重困厄让我毫不犹豫地敲了门，请你们接纳我。现在，我可爱的劳拉（他拉着我的手继续说道），我对你倾慕甚笃，渴望能获得你的回报，以抚慰我对你所有的爱慕之苦。哦！你什么时候才会把你自己回报于我？”

“此时此刻，亲爱的爱德华。”我回答道。我们的结合当场受到了父亲的赐福。父亲虽从未被授予圣职，但却生来就是当教士的料。

在见

劳拉

第 7 封信

劳拉致玛丽安

我们婚后只在乌斯克谷呆了几天。和我的父亲、母亲和伊莎贝尔深情告别之后，我陪伴爱德华来到米德尔塞克斯他姨妈家。菲丽帕热情洋溢地接待了我们，她对我们的爱溢于言表。我的到来对她是一个未大的惊喜，因为她不但对我和她外甥的婚事一无所知，而且从来不知道这个世界上还存在我这样一个人。

奥古斯塔，也就是爱德华的姐姐，在我们到达之后也来到了姨妈家。我发现，她和她弟弟的描述相比，简直一分不差，个子不高不矮。她也同样惊喜地接纳了我，尽管她的热情与菲丽帕相比略有逊色。她的态度中有一丝冷惔和不容接近的漠然，这让我感到意外和不安。从她的礼节和言辞中，我看不到初次相识应有的那种对彼此的兴趣和友善的同情。她的言语中没有热情，缺乏温存，她的问候也了无生趣，不甚恳切。她并没有张开双臂把我拥入怀中，反而是我用双臂把她拽到我胸前拥抱。

我无意间听到奥古斯塔和弟弟之间的一次简短对话，更另我对她反感，我相信，她的内心既不通晓友情的甜蜜，也不会懂得爱的温柔。

“可是，你觉得父亲会接受你们这样鲁莽的结合吗？”奥古斯塔问道。

“奥古斯塔，”高贵的青年人回答道，“我还以为你会更赞赏我的做法，而不是觉得我会卑微地服从父亲，征得他对我自个儿婚事的同意。告诉我，奥古斯塔，请你真诚地告诉我，自打我十五岁以来，你有没有见到我就一件最不起眼的琐事去打探他的意愿，听从他的建议？”

“爱德华，”她回答道，“你的自夸真的太不自信了！自打你十五岁以来？亲爱的弟弟！自打你五岁以来，我就已经不再要求你能心甘情愿地顺从你的父亲了。但是，我还是有这么一丝预感，恐怕你还会临时放下身架，屈尊向慷慨的爱德华爵士寻求帮助，让他支持你的妻子。”

“绝不会的，奥古斯塔，我绝不会自贬人格的。”爱德华说，“支持？劳拉从他那里能得到什么支持？”

“无非就是吃吃喝喝那些不起眼的东西喽。”她回答道。

“吃吃喝喝！”我丈夫以一种最高贵的不屑神情回答道，“你是不是觉得，对一个拥有高贵思想的人来说，除了吃喝那样卑贱、粗鄙的享受，就不再有别的追求了？”

“除了这些，我也不知道别的什么了，就这么简单。”奥古斯塔回答道。

“难道你从来没有感受到爱的痛楚吗，奥古斯塔？”爱德华回答道，“对你的恶臭腐朽的味蕾来说，难道爱根本不可能存在吗？贫穷会带来各种困苦，但是，你真的无法想象，同你深爱的人一起生活，这本身就是一种享受吗？”

“你可真够滑稽的，”奥古斯塔说道，“没法和你争辩。也许，总有一天你会相信……”

听到这里，我被打断了，不知下文。一个体态端庄的年轻女人由人代领着，从我站着偷听的门口进了屋。当我听到有人宣布她芳名是“多萝茜娅小姐”时，就立即离开座位，跟随她进了客厅，因为我记得，她就是那位贵族小姐，也就是残酷而执拗的男爵坚持要让我的爱德华娶为妻子的那位小姐。

多萝茜小姐的来访虽然名义上是要找菲丽帕和奥古斯

塔，但我有理由猜测（她得知了我们结婚的消息，也听说爱德华来了这里），她的主要动机是来看我。

我很快发现，这位小姐虽然形体可爱优雅，谈吐闲适有礼，但若讲起情感的细腻、温柔和优雅来，可属于次等，和奥古斯塔一样。

她只在这里待了半个小时，并没有向我透露任何私密的想法，也没有请我向她倾诉任何秘密。因此，我亲爱的玛丽安，我对多萝茜小姐并没有多少情感上的依恋或热情。这一点你不难想象。

在见

劳拉

第 8 封信

劳拉致玛丽安，接续前函

多萝茜小姐离开没多久，另一个不速之客登门拜访了。那人正是爱德华男爵。爱德华男爵是在奥古斯塔把弟弟的婚事告诉他之后上门的，因此，他来这里的目的，无疑是要声讨爱德华，爱德华竟敢与我结婚而不经过他的同意！不过，爱德华预先看出了他的意图，因此从他一进屋开始，就表现出一股刚正不阿的英雄气概，对他说道："爱德华男爵，我知道你来这里的目的——你是来讨伐我的，因为我没有经过你的同意就和我的劳拉结下了忠贞不渝的婚盟。但是，对我的行为，我感到十分光荣。我惹得自己的父亲很不悦，这是我最值得夸耀的事！"

这样说着，他拉起我的手，领我走出客厅，来到停在门外的父亲的车前。他的勇气无疑让爱德华男爵、菲丽帕和奥古斯塔猝不及防，在他们还在钦佩地回味这壮举的时候，我们已驱车而去，只留下爱德华男爵在车后追赶。

起初，车夫受命只能走通往伦敦的马路，但是，在我们再三思忖之后，就命令他驶往马某家，马某是父亲最要好的朋友，他的住所离这里只有几英里远。

我们只花了两三个小时就到了马家，通报姓名之后，很快就被引荐给了索菲亚，也就是爱德华爵士朋友的妻子。一连三个星期，我们没有一个真正的朋友（我指的是像你母亲这样的朋友）可以投靠。因此你可以想象到，当我看到这样一个名副其实的朋友时，我是多么的欣喜。索菲亚个子稍高，体态优雅。她俊俏的面庞上带着一副悠闲的神情，为她的美更加增色，而这美是她心灵的独特表现——她情感细腻，富有同情心。我们两个热情相拥，发誓要做今世的朋友。然后，我们便开始互诉衷肠。正当我们相谈甚欢时，奥古斯都，也就是爱德华的朋友，走了进来。他刚刚出去独自散步回到了家。

爱德华和奥古斯都相见的场景是我从未见过的。他们两个扑到彼此怀中。“我的生命！我的灵魂！”一个喊道。“我可爱的天使！”另一个则应道。这样的场面对索菲亚和我来讲太感人了，我们两个相继晕倒在沙发上。

在见

劳拉

第 9 封信

劳拉致玛丽安

这一天快结束的时候，我们收到了菲丽帕的信。

“你们俩这样突然离去，让爱德华爵士十分愤怒。他带着奥古斯塔回了贝德福德郡。虽然我希望能再次享受与你们相伴的美好时刻，但又不能如此绝情，把你们从如此亲密、情投意合的朋友身边夺走。所以，等你们出访朋友结束后，请一定回到我的怀抱！

菲丽帕”

对这封热情洋溢的信，我们妥善地做了回复，感谢她的盛情邀请，并表示我们一定不负盛情，一旦无处寄身，定会回到她那里去。我们对她的邀请所做的回复可谓感激不尽，对于任何一个有理性的人而言，都会因此而感到满意。可是，不知道怎么搞的，我断定，她不满我们的做法，变得十分任性，几周之后，或许是为了报复我们，也或许是为了排揭寂寞，便嫁给了一个不识字的年轻人，而那人结婚的目的不过是为了财产。我们都是思想境界很高的人，因此，她的草率决定（我们知道，她这样做也使得我们不再有机会享受菲丽帕所允诺的盛情款待）并没有让我们为自己而叹息，不过，我们也但心，这恐怕会给这个被蒙蔽的新娘带来不尽的痛楚。奥古斯都和索菲亚热情洋溢地恳请我们把他们的住所当作自己家，我们盛情难却，因而决定从此不再离开他们。在我的爱德华和这对热情夫妇的陪伴下，我度过了人生最幸福的时光。我们互诉钟肠，表达爱的忠贞不渝，一起度过了美好的时光。没有了各种不悚之客的纷扰，我们恬然自乐。奥古斯都和索菲亚来到这里的第一天就以委婉的方式告知左邻右社，他们只关注自己的幸福生活，不想有外人打扰。可是，可惜的是，我亲爱的玛丽安，我所经历的这种幸福太理想了，好景不长，我们遭受了一次严厉的打击，令我们始料不及，一切美好的感觉灰飞烟灭。我前面给你讲过有关奥古斯都和索菲亚的故事，你一定认为，天下没有比他们更幸福的一对了。我没有必要再告诉你，他们的婚姻实际上违背了父母的意愿。他们的父母利欲勋心，狠心逼迫他们与厌恶的人结婚。但是，他们意志坚定，自始至终拒绝臣服于强权，这种英雄般的气概值得钦佩和记录。

他们英勇地反抗权威，挣脱了父母的桎梏，秘密结了婚。在此之后，他们决定，绝不能辱没他们已经在这个世上树立的美名，因此，他们决不接受双方父亲提出的任何调解条件。不过，在此之后，他们高尚的独利精神再也没有机会得到捡验。

他们结婚没有几个月，我们就来到了他们的住处。在这一段时间里，他们有大笔的钱，足够维持生计，这笔钱是奥古斯都在与索菲亚结婚前从他那不称职的父亲的写字台中顺手牵羊拿来的。

我们到来后，他们的花销已经大副上升，而生计来源却已经接近枯竭。然而，这两个高贵的人儿一分钟都不愿意去反思导致贫穷的根源，一想到还债就会满脸通红。唉！他们这种若无其事的态度给他们带来了什么样的后果呢？英俊的奥古斯都被逮捕了，我们全都完了。

亲爱的玛丽安，在各种罪行中，施害者的这种残忍的背信弃义一定会让你柔弱的本性受到震动，就像当初它让爱德华、索菲亚、你的劳拉和奥古斯都本人那样受到震动一样。我们被告知，这种决无仅有的野蛮暴行将会在我们的住所执行。唉！除了此刻这样，我们还能做什么呢？我们叹了口气，晕倒在沙发上。

在会

劳拉

第 10 封信

劳拉致玛丽安，接前函

当我们从巨大的悲痛中恢复过来后，爱德华表示，他应该前往监狱探望被囚禁的朋友，对他的厄运表达哀叹，而我们可以趁他不在时考虑一下，面对现在的艰难处境，怎样做才算最慎重。我们答应会考虑后，他便起身前往城里去了。在他离开后，我们非常诚实地遵照他的意愿进行了反思，一番深思熟虑之后，我们最终达成一致，认为现在最好的办法就是离开这座房子。因为在这里，我们无时无刻不想着法官可能会来接手房子。因此，我们耐着极大的性子等着爱德华回来，准备告诉他我们商量的结果。然而爱德华并没有出现。漫长的时间过去了，我们一分钟一分钟的数着，却始终不见他回来。我们绝望地啜泣，绝望地叹息，始终没见爱德华回来。对柔弱而敏感的我们来说，这样的打击太残酷了，是我们始料未及的，也无法承受，我们只能一次次地昏厥过去。

反复掂量之后，我站起身，收拾好索菲亚和我必备的行装，拽着她上了一辆我雇来的车，立即动身前往伦敦。奥古斯都的住所离城里只有不到 12 英里，我们很快就到了那里。一进入霍尔布恩，我就放下一块车前玻璃，询问每个打扮体面的路人，问他们是否见到过我的爱德华。

尽管我一遍遍地询问，但由于我们的马车行进速度很快，他们都来不及回答我。我一无所获，没有打探到一丁点和他有关的信息。“现在要去哪呢？”马车夫问我。“去纽盖特吧，年轻人。”我回答道，“去探望奥古斯都。”“哦，不，不，”索菲亚喊道，“我不能去纽盖特。我不忍心看到我的奥古斯都被囚禁在那么凄惨的监狱中。听到别人谈论他的悲惨处境，我脆弱的情感已经遭受了足够的打击。而亲眼看到他的处境，我敏感的神经绝不能承受。”我完全同意她对自己情感的判断，因此命令马车夫立即返回乡下。我最亲爱的玛丽安，听到我的这场遭遇，你或许会感到一点惊讶，为什么在孤立无援，流离失所的状态下，我竟然没有动过一丝念头，向我的父亲或母亲，向住在乌斯克谷父亲农庄上的其他人求助。我似乎露掉了这一点，因此需要向你解释一下。现在，我必须告诉你关于他们的一点小状况，而之前我一直未曾提及。我想说的这种状况就是，在我离开几个星期之后父母就去世了。他们死后我成为房屋和财产的和法继承人。可是，可惜的是，那所房子从来就不归他们所有，他们的财产也仅仅是他们生前的年金保险。生存在这个世上，就是这么的不幸！我真想高高兴兴地回到你母亲身旁，把迷人的索菲亚介绍给她，在她们的陪伴下快乐无斜地在乌斯克谷度过我的余生。我本来可以非常顺利地执行这一令人温心的计划，却不料遭受到了重大的挫折——你的母亲此时已经远嫁爱尔兰。

在会

劳拉

第 11 封信

劳拉致玛丽安，接前函

“我在苏格兰有个亲戚。”离开伦敦后，索菲亚对我说，“我敢肯定这个亲戚会毫不犹豫地收留我。”“我要不要让车夫带我们到那里去呢？”我问道，不过我很快转念喊道：“恐怕对马来说路途太遥远。”我对马的体力和能力并不知道多少，但为了避免在无知的情况下采取行动，于是向马车夫寻求意见，而他在这件事上完全同意我的意见。因此我们准备在下一个城镇更换马匹，搭乘邮政快车完成剩下的路程。当我们到达最后一个歇脚的旅店时，离索菲亚亲戚所住的地方只有几英里远了。我们不想贸然登门，让他没有准备，于是给他写了一封短函，用委婉含蓄的语言向他讲述了我们的困厄和难处，并告诉他我们想和他在苏格兰一起住几个月。信一寄出去，我们便立刻准备动身追随信件而去。正准备上车的时候，一辆有顶冠花饰的四驱马车开进旅店，吸引了我们的注意。一个年事已高的绅士从车上走下来。他一露面，就触动了我敏感的心弦，在还没看他第二眼之前，一股本能的感觉就在我的心中窃语起来，告诉我那是我的祖父。我立刻从马车上跳下来，跟着这位尊敬的陌生人走进屋子，跪倒在他面前，请求他与我这个外孙女相认。他吃了一惊。在仔细辨认我的容貌之后，把我从地上拉起，用祖父才有的温暖的双手搂住我的脖子，并喊道："我认出你来了！是的，跟我亲爱的劳拉丽娜，跟我们的女儿克劳地亚长得如此相像，和你的妈妈和外祖母一样那么甜美。我能够认出，你是克劳地亚的女儿，劳拉丽娜的外孙女。"在他温柔地拥抱我的时候，索菲亚对我突然离开而感到惊讶，也进屋来寻找我。她的目光刚与这位尊贵的贵族接触，他就惊奇地喊出声来："又是一个外孙女！是的，是的，我能够看出，你就是我的劳拉丽娜的大女儿的女儿。你的容貌与美丽的马蒂尔德太像了，这一点足以证明你的身份。""哦！"索菲亚回答道，"看到你第一眼，我的本能就在我耳旁窃窃私语，告诉我咱俩有亲缘关系。不过是祖父还是祖母，我不能断定。"他把她揽入怀中，在他们温柔相拥的时候，公寓的门开了，一个容貌姣秀的男子出现在面前。圣克莱尔男爵一看到他。就倒退了几步，举起双手说道，“又是一个孙子！真是想不到，这太让人高兴了！三分钟不到的时间我就认识了这么多后辈！我敢说这位就是费兰德，我的劳拉丽娜的三女儿——可爱的波尔莎的儿子。现在就缺古斯塔夫斯在场，不然我的劳拉丽娜的孙子就全部聚齐了。”

“他来了！”就在这时，一个优哑的年轻人走进屋，“你想见到的古斯塔夫斯就在这里。我就是你的劳拉丽娜的四女儿——也就是小女儿阿加莎的儿子。”“真的是啊！”圣克莱尔男爵回答道，“不过请告诉我——（他期待的望着门口继续说道），是不是还有其他我的孙子孙女在这个房子里？”“没有了，男爵大人。”“那我就不耽误时间了，我给你们每个人 4 张 50 磅的钞票，你们都把钱拿好，记得我已经尽到了一个祖父的责任。”说完他立刻离开了屋子，很快屋子里其他人也都相继离开。

在会

劳拉

第 12 封信

劳拉来信，接前函

你可以想象。圣克莱尔男爵就这样突然离去，我们是多么惊讶。“真是个让人丢脸的祖父！”索菲亚喊道。“他不配当外祖父，”我说道。我们俩随即晕倒在彼此的怀中，就这样不知道过了多长时间。但是，当我们苏醒过来的时候，我们发现只有我们俩，古斯塔夫斯、费兰德和钞票全都不翼而飞。在我们悲叹命运不济的时候，公寓的门开了，门房通报一个叫“麦克唐纳德”的人来访。他是索菲亚的表哥，在收到我们的短函之后急匆匆地赶来邦我们。他的快速反应显得他是个值得信赖的人，因此我一看到他就毫不犹豫地称他是一位温柔而负有同情心的朋友。可是，他名不符实——他不配朋友这个称呼，因为尽管他嘴上说对我们的不幸表示担忧，但是从他自己的说法看，在读完我们的不幸遭遇后，他既没有慨叹，也没有诅咒给我们带来厄运的扫帚星。他告诉索菲亚，他的女儿期待他和索菲亚一起返回麦克唐纳德宅。他还说，作为他表妹的朋友，他也非常高兴见到我。于是我们便动身前往麦克唐纳德宅厅，去拜见宅邸的女主人。那时的詹妮特只有15岁，性情温柔，多愁善感，附有同情心。她那与人为善的特性要是能够得到适当发扬，必定会发出人性的璀璨光芒。然而不幸的是，她父亲的心灵并不具备足够的高度，不能欣赏她这种美好的禀赋，而是想方设法极力阻止这一潜质随着她的年龄增涨。事实上，他现在已经浇灭了她内心的这种善感的天然火花，现在正在极力劝说她接受一个他推荐的年轻男人。他们几个月后就会成亲，而当我们到达他们的住所时，格莱姆就在那里。我们很快就看透了他的性格。这个人对麦克唐纳德来说称心如意，完全可以做他的东床快婿。人们都说他善于察己知人、见多识广，很招人憘欢。我们无意对这样的琐事做出评价，但是我们坚信，他是一个没有灵魂的人，他从未读过《少年维特之烦恼》。他的头发一点都不是那种微黄色，我们敢肯定詹妮特对他没有感情，或者说她应该感受不到任何温情。作为他父亲的理想人选，实际上对他并没有任何优势，即便在其他各个方面他都配得上詹妮特，但仅此一点，就足以构成詹妮特拒绝他的原因。我们决定要把这些想法以适当的方式告诉她，并相信鉴于她天性聪慧，我们一定会成功劝说她。在这件事上她的过错，仅仅是因为她对自己的判断缺乏自信，对他父亲的意见也没有表示适当的鄙夷。我们发现她就是我们一切美好愿望所寄托的对象。我们会轻而易举地让她相信，她不可能爱上格莱姆，或者让她知道，她的使命就是违抗父命。唯一让她感到犹豫的事就是，我们都认为她应该爱上另外一个人。有一阵子时间，她固执地宣布不认识其他任何年轻男人，对他们也没有丝毫好感。但是在我们向她解释这不可能之后，她相信，和所认识的所有人相比，她的确更喜欢麦肯利上尉。她的心声让我们感到满意。我们列举了麦肯利上尉的种种优点，并肯定地告诉她，她已经炽烈地爱上了麦肯利上尉。接下来我们想知道的就是，他是否曾经以任何方式向她表示过爱慕。

“要说明确的表示，我恐怕没有理由想象他会对我有爱慕之心。”詹妮特说道。“他当然非常爱慕你，这一点毫无疑问。”索菲亚说道，“这种爱慕之情一定是相互的。难道他从来没有用倾慕的眼光看着你吗？难道他没有轻轻地按一下你的手，泪水不油自主地低落下来，然后迅速离开屋子吗？”“在我的记忆中从来没有这样过，”她回答道，“他每次来访之后都会离开屋子，但从来没有突然离开，也不会不鞠躬就离开。”的确，我的可爱，我说，你一定搞错了，他绝对不可能在你感到困惑、失望、犹豫的时候离开你。詹妮特，请你稍微想一想，假如他像其他任何人那样表现或者鞠躬，你一定会觉得那样非常荒唐。”[①] 我们就这一点形成了一致意见，感到非常满意。接下来我们考虑的问题是，我们应该怎样告诉麦肯利，让他知道詹妮特对他的好感。最后我们一致同意，由索菲亚起草一封匿名信来告诉他。信是这样写的：

“啊！美利的詹妮特眼中的那位幸福爱人啊！你占有了她的心，而她的手却注定要被另一个人牵起。你为什么迟迟不向你爱慕的对象表白？啊！请你想一想，再过几个星期，你内心中温存的一切希望将被掐灭，不幸的她即将成为残忍的父亲的牺牲品，与她所诅咒和讨厌的格莱姆结婚。”

---

① 原作中此处只有一个下引号，没有对应的上引号，译文未加改动，译者注。

"唉！眼看着她悲惨的命运即将降临，你为什么残忍地默默旁观，为什么迟迟不见行动，把你想象中一定早已谋划好的策略告诉她？你们的秘密结合一定会给你们两个带来幸福。"

善良的麦肯利一收到信便立即乘着爱的翅膀来到麦克唐纳德府，向他的爱人表白爱慕之心。后来他告诉我们，他掩藏对詹妮特的炽烈的爱这么久，唯一的原因是他的保守。在我们私下交谈了几次之后，我和索菲亚欣慰地看着他们俩动身前往格雷塔纳—格林庄园，在这里完成婚礼，尽管这个地方离麦克唐纳德府距离很远，但其他地方他们都不喜欢。

在会

劳拉

第 13 封信

劳拉来信，接前函

他们已经离开了几个小时，没有引起麦克唐纳德或者格莱姆的怀疑。实际上，要不是因为一个小插曲，他们根本不会怀疑。之前有一天，索菲亚在麦克唐纳德的书房里用她自己的钥匙打开了一个私密的抽屉，发现这是他收藏重要文件的地方。抽屉里面还有几张大面值钞票。她把这个发现告诉了我。我们两个一致认为，麦克唐纳德是一个品行恶劣的家伙，因此我们拿走他的钞票，这是他罪有应得。或许这钞票是他的不义之财。我们俩还决定，下一次如果谁去书房那里，就再从抽屉里拿几张钞票出来。我们的这个周密计划执行得非常顺利。可就在詹妮特逃走的那一天，当索菲亚落落大方地把抽屉里的第五张钞票放到自己的钱包里的时候，她突然被打断了。麦克唐纳德本人走进了屋，令她猝不及防。索菲亚立刻露出一副严厉的神情（只要形势需要，她迷人的甜美也一定会呼唤出女性的尊严），愤怒地对眼前这个不知分寸的犯错的人皱了皱眉，用一种高傲的口吻质问他“怎么敢这么蛮横无理的闯入我休憩的地方？”麦克唐纳德一点都没有脸红，也没有试图终止他的错误行为，而是严厉地斥责索菲亚想卑鄙地偷走他的钱……索菲亚的尊严受到了伤害。“你这个卑鄙的家伙！”她迅速把钱放到抽屉里大声喊道，“你怎么敢肆意诬陷？这样的行为我连想一想都会脸红。”那个卑鄙的家伙并不信她的话，而是继续用恶独的语言斥责为自己正当辩解的索菲亚。终于，他的斥责激起了她本性中的那种温柔与甜蜜。她告诉了他詹妮特私奔的事，以及我们在这件事中所发挥的积极作用。在他们争吵正凶的时候，我走进了书房。你可以想象，恶毒且目空一切的麦克唐纳德毫无根据的指责让我和索菲亚一样受到冒犯。“你这个无赖！”我喊道，“你怎么不知廉耻地玷污人家洁白无瑕的名声？你是不是也会对我的清白表示怀疑？”“尊敬的小姐，你应该感到满意，我的确表示怀疑。所以我必须请你们两个在半小时内立即离开我的屋子。”

“我们自然要走。”索菲亚说道，“我们心里早就憎恨你了。我们在你这里住这么久，还不是因为跟你女儿的友意！”

“你们对我女儿的友情发挥得真是到位，你们把她送到了一个毫无原则的投机分子的怀抱之中。”他回答说。

“是的，”我喊道，“回想起来，在种种不幸中，唯一让我们欣慰的就是，我们出于友情帮助了詹妮特。我们从她父亲那里得到的恩惠可以全部抵消了。”

“你们高尚的心灵能够这样想，可真是让人感恩代德呢。”他说。

收拾好衣橱和贵重物品之后，我们离开了麦克唐纳德府。走了大约一英里半之后，我们来到一个清澈见底的小溪旁座下，准备休息一下疲乏的双腿。这个地方非常适于静思。我们的东面是一小片高大的榆树，正好可以给我们遮荫；西面是一簇荨麻，前面是潺潺流过的小溪，后面则是收费公路。我们都陷入了沉思，尽情欣赏这美利的景色。我们彼此沉默良久，最后我的喊声打破了寂静，“多么迷人的景色啊！为什么爱德华和奥古斯都不在身旁和我们一起欣赏这美景呢？”

“啊！亲爱的劳拉！”索菲亚喊道，“求求你，不要再让我想起我那被关在牢里的丈夫了，别让我想起他的悲惨境况了。唉，如果能让我得知奥古斯都的命运，我还有什么不愿付出的呢？他到底是在纽盖特，还是要被执行绞刑呢？可是，我现在真的没有克服我脆弱神经的勇气，来打探他的消息。哦！我恳求你，不要再让我听到你重复他亲爱的名字了——这让我焦灼万分——我不能忍受你再提到他，让他的名字给我带来伤害。”

“我的索菲亚，请原谅我无意间冒犯了你——”我回答她，并改变话题，请她欣赏眼前这片替我们挡住来自东方微风的榆树林，一睹这些树木的壮美。“哎呀，”她回答道，“求求你，不要谈论这样令人伤感的话题了。不要再谈论那些榆树了，这给我敏感的内心带来伤害。你的话让我想起了奥古斯都。他就像那些榆树一样，高大而庄严——你所赞美的榆树的高贵和壮丽的品质，他都拥有。”

我沉默了，亥怕再因什么话题让她想到奥古斯都，无意中又伤害到她。

“你为什么不说话了？我的劳拉？”一片短暂的沉默后，她问我。“我不能忍受这样的沉默。你真的不能任由我陷入沉思，因为我会不时地想到奥古斯都。”

“多么美利的蓝天啊！”我说，“那一道道柔美的白云和湛蓝的天空彼此相间，是多么的妩媚啊！”

“哦！我的劳拉！”她瞥了一眼天空，便匆匆收回目光，说道，“请不要再伤害我了，不要把我的注意力转移到这些事物上，这样太残忍了，总是让我想起我的奥古斯都所穿的那件蓝白相间的丝绸背心！可怜可怜你忧伤的朋友吧，不要再谈论这样令人痛苦的话题！”我还能做什么呢？此时索菲亚的情感是那么的脆弱，她对奥古斯都的柔情又是那么热烈，以至于我没有办法谈论任何话题，总是担心会让她想到她的丈夫，在不经义间刺激她敏感的神经。可是沉默是残酷的，她恳请我和她说话。

幸运的是，一场事故让我摔脱了这种左右为难的局面。一位绅士的敞篷马车在公路上翻倒了，这辆车刚才还在我们身后嘎吱嘎吱地响着。这可真是一场再幸运不过的事故了，因为它转移了索菲亚的注意力，使她从先前的忧思中挣脱出来。我们立即离开座位，跑过去搭救马车里的乘客。他们刚才还在这辆时髦、高贵的敞篷马车中兴致勃勃地谈笑风生，现在都趴在地上，在尘土中翻滚着。“眼前的场景足以让人沉思，慨叹人世之多变，祸福之相倚。《沃西枢机主教的生平》和这辆敞篷马车就是绝佳的教材，令人沉思！”我一边急匆匆地向事故现场跑去，一边对索菲亚这样说。

她没有时间回答我，因为我们满脑子想的全是眼前这可怕的景象。首先映入我们眼帘的是两个穿着华贵的绅士，他们正在鲜血中翻滚——当我们走近时，才发现他们是爱德华和奥古斯都——是的，我最亲爱的玛丽安，他们两个就是我们的丈夫。索菲亚间叫着晕倒在地上，我也发了疯地尖叫起来。就这样一连好几分钟，我们失去神智又恢复神智，然后再失去神智，不断反复。我们的这种不幸状态一直持续了1小时15分钟——索菲亚每分钟都晕倒一次，而我也不断地发狂。终于，不幸的爱德华（只有他还保持着生命的迹象）发出了一阵呻吟，使我们清醒了过来。要是刚才我们想到他们中有人还活着，我们一定会节哀巛变——可是我们一看到他们的时候，就猜想他们已经死去，除了任由情绪失控，也别无他法。一听到爱德华的呻吟声，我们就抑制住眼下的悲伤，急忙跑到这个亲爱的年轻人身边，一人跪在一边，祈求他不要死——。“劳拉，”他用无力的眼神看着我说道，“我恐怕是翻车了。”

看到他还神智清醒，我感到十分惊喜。

“哦，告诉我，爱德华，”我说，“求求你，在你死前告诉我，那个倒霉的日子，奥古斯都被捕，你我分别之后，究竟发生了什么？”

“我会告诉你的。”他说道，随即深深地叹息一声，便断了气。索菲亚立刻晕厥了过去。我悲痛的喊声更大了，声音颤抖，双眼呆滞，脸色如死神一般苍白。我的所有感觉变得模糊起来——

“不要给我提旅行马车。”我发了疯，语无伦次地叫喊起来，“给我一把小提琴。我要给他演奏一首曲子，抚慰他的忧伤——当心那丘比特雷电的女神，躲开朱比特锋利的矛头——快看那一片冷杉林——我看到了一根羊腿肉——有人告诉我爱德华没有死，可是他们欺骗了我，他们把它当做了一根黄瓜——”就这样，因为爱德华的死，我疯癫地叫喊着。我一直叫，喊了两个小时，没有感到一丝疲倦。如果不是因为索菲亚从昏厥中苏醒过来，我可能还会继续狂叫。索菲亚肯求我冷静下来思考一下，因为天色将黑，潮气四起。“我们该到哪里去躲避黑夜和潮气呢？”我说。“去那间白色的小农舍吧。”她指着榆树林中一栋我未曾注意到的建筑说。我表示同意，我们便即刻朝那里走去。我们敲了门，开门的人是一个老女人。我们请求她让我们留宿一夜，她告诉我们说，房子太小了，只有两间卧室，不过她很欢印我们在其中一间住下。我们非常高兴，跟着这位老女人进了房子，看到屋里有火，我们感到惬意和欢喜。她是个寡妇，只有一个女儿，那时才 17 岁，正是风华正茂的年龄。可是，可惜的是，她相貌寻常，名叫布雷吉特……所以，我们对她没有过高的期望，她并不具备高尚的思想，细腻的感情和敏锐的感受力——。她只不过是一个脾气好、懂得礼貌的年轻女人；正因为这样，我们也谈不上讨厌她——她只不过是我们所看不上眼的那种人。

在会

劳拉

第 14 封信

劳拉来信，接前函

我年轻而友善的朋友，请你一定用自己掌握的哲学来武装起自己，振作精神！那是因为，当你读到下面信件的内容时，你敏感的心必将受到最为严酷的检验。啊！我前面向你讲述的不幸，和接下来将要告诉你的相比，又算得上什么呢？我父亲、母亲和我的丈夫的死，是我脆弱的本性几乎无法承受的，但这与我下面将要告诉你的故事相比，简直不值一提。我们到达农舍的那天早晨，索菲亚说她脆弱的四肢疼痛剧烈，还伴随着闹人的头痛症状。她认为病因是她在户外不断晕倒得了感冒，因为前一天傍晚，就已经降了露水。我觉得这种分析恐怕是对的，否则无法解释为什么我就没有出现这样的不适——因为我在疯癫反复发作的过程中身体不断运动，这样就使得血气疏通变暖，有效抵御了夜间的湿寒；而索菲亚一直躺在地上一动不动，使得寒气入侵体内，症状加重。我对她的病很警惕，尽管在你看来不算什么。有一种本能的敏感悄悄告诉我，她的病可能会变成不治之症。

唉！我的担心真的完全得到了验证；她的病情渐渐加重——我每天对她越来越担心。最后，她只能在我们好心的房东太太给我们安排的床上待着。她的病急转直下，发展成了痨病，不过几天就离我而去。我悲痛万分（我的悲痛之程度你可以想象到），不过一想到她生病时我曾经对她的精心照料，我内心就稍稍得到一些宽慰。我每天都因她而哭泣，终日把她金黄的头发攥在我的手中，泪水浸透了她甜美的面庞——“亲爱的劳拉，”她临死前几个小时对我说道，“我生命的悲惨终结应该使你警醒，今后一定要避免做出这样不审慎的行为。不要让你的昏厥频繁发作……尽管有的时候昏厥能令人舒怅，重振精神，但是请相信我，如果总是任由它反复发作，而不论季节是否适宜，最终将会给你的身体带来毁灭……我的命运将会成为你的前车之鉴……我因失去奥古斯都而悲痛万分，最终变成这悲痈的牺牲品……亲爱的劳拉，请一定要注意你的昏厥……疯癫的发作所带来的害处还不及昏厥的四分之一，如果疯癫的程度不甚剧烈的话，还可以活动身躯，我敢说这样做甚至对身体有好处因此你可以频频发疯，但一定不要昏厥”

以上就是她临终前给我的辶言……这是她赠予她那悲痛欲绝的劳拉的生命之谏，她的劳拉将这话谨记于心，笃行不渝。

可怜的索菲亚命运乖舛，英年早逝，在她的葬礼之后，我即刻（尽管还是半夜）离开了这个可恨的村庄。这里夺走了劳拉的生命，我的丈夫和奥古斯都也都在村庄附近终结生命。我刚走了一小截路就有一辆公共马车从后面赶上。我立刻上了马车，在一个位子上坐下来，准备搭车前往爱丁堡，希望在那里找到几个能够给与我同情的朋友，请他们收留我，抚慰我痛苦的心灵。

上车的时候天已经很黑了，因此我数不清有多少乘客。我只知道车上有很多人。我旁若无人地独自陷入沉思。车里一片寂静，只有一个乘客不断传来的鼾声打破这沉默。

“真是个没文化的乡巴佬！”我心想，“这家伙一定一点教养都没有，竟然用这么粗鲁的噪音玷污我们的视听！我敢肯定他一定无恶不作！对这么一个东西来说，他还有什么罪恶做不出来呢？”我在心里这样争辩着，其他乘客一定也都是这样想。

终于，天亮了，我终于可以看清那个让我极度厌恶、不懂规矩的恶棍。他就是我死去的丈夫的父亲——爱德华爵士。奥古斯塔坐在他的身旁，你的母亲和多萝西娅女士和我坐在同一个座位上。你可以想象一下，和我认识的人这样坐在一起，我是多么的惊讶。虽然这情景令人意想不到，但是还有更令人惊讶的事！因为当我向窗外望去的时候，我看到了菲丽帕的丈夫坐在车上，旁边坐的是菲丽帕；而当我向身后看去的时候，我看到费兰德和古斯塔夫斯坐在车外面车篮中。“哦，天啊！”我喊道，“忽然间发现四周全是关系最近的亲戚，这怎么可能呢？”我的话惊动了车上的其他人，每一双眼睛都朝着我坐的角落投来目光。“哦！我的伊莎贝尔！”我越过多萝西娅扑到她的怀中说道，“请再一次把不幸的劳拉拥入你的怀中吧。啊！上次我们在乌斯克谷分别的时候，我和爱德华的结合使我拥有他人生最美好的时刻。那时我的父亲和母亲都还健在，他们从来没有经历过任何不幸。可是现在除了你我再也没有别的朋友——”

“什么？”奥古斯塔打断我，“我弟弟死了吗？求求你告诉我，他出了什么事？”“是的，冰冷而无情的女神啊！”我回答道，“你的弟弟，那个不幸的乡村男孩，已经不在人世了。现在你可以正大光明地成为爱德华爵士财产的继承人了。”

尽管自从我无意间听到奥古斯塔和我的爱德华谈话的那天起，我就一直看不起她，但是，出于礼貌，我答应了她和爱德华爵士的请术，把我们的不幸遭遇一五一十地告诉了他们。他们十分震惊——就连爱德华爵士和奥古斯塔的迟钝而顽劣不化的心也从我的讲述中感受到了悲伤的侵扰。应你母亲的请求，我就把自分手后发生在我身上的所有不幸遭遇讲给了他们——包括奥古斯都被捕、爱德华离开我们——包括我们来到苏格兰，在这里与表兄妹和祖父不期而遇——包括我们到访麦克唐纳德府——为帮助詹妮特所做的奇特的事、他父亲的不通人情、非人的行为、对我们莫名其妙的怀疑和强迫我们离开他家的野蛮态度——还包括我们失去爱德华和奥古斯都的悲痛，以及我亲爱的伴侣不幸夭折的故事。

在我讲述整个经历的过程中，你母亲脸庞上留露出极大的同情和惊讶。不过很遗憾的是，她表情中惊讶的成分所占比例极大，这就是我永远谴责她的一个地方。不，在我近来所经历的种种事情和不幸遭遇中，我的行为完美无瑕，尽管如此，你母亲总是试图针对不同境况找我的毛病。我是一个很有自知之明的人，我的一切表现无不体现出本人高贵的品格和情感。我没太在意她的话，而是请她满足我的好奇，告诉我她是怎样到这里来的，这样也避免她那些毫无根据的谴责给我洁白无瑕的名声带来损伤。当她遵照我的请求，把我们分别后发生在她身上的一切遭遇（还有一些细节你并不知道，但是你的母亲会告诉你）非常详细地告诉我之后，我便立刻询问奥古斯塔，请她讲一讲关于她自己、爱德华爵士和多萝西娅女爵的经历。

她对大自然的美有特别的钟爱，吉尔品的苏格兰之旅激发了她的好奇，因而劝说父亲到苏格兰一游，还劝说多萝西娅小姐一同前往。她们几天前到达爱丁堡，并且已经乘坐公共马车在乡间游玩了几次，现在他们刚刚游完回来。接下来我又向她询问有关菲丽帕和她丈夫的情况。我得知，菲丽帕丈夫花光了她的所有财产，不得不再次依赖他最擅长的天才技能也就是驾驶马车来维持生计。后来他卖掉了除马车之外的所有财产，还把马车改装得只剩下一块公共马车。为了躲避以前认识的一个熟人，他又驾着马车来到爱丁堡，他每隔一天都会从这里拉客人到斯特灵。我还得知，菲利帕对她忘因负义的丈夫旧情难释，跟着他来到了苏格兰，每天都会陪伴他驾车前往斯特灵。“自打我们来到苏格兰后，父亲只需要往他们的钱袋中投入一小点钱，就可以跟着他们的车到乡下去观赏美景。还可以乘着驿递马车前往苏格兰高地，而不是坐在拥挤不堪的公共马车里，每隔一天从爱丁堡前往斯特灵，再从斯特灵返回爱丁堡。”我完全赞成她在这件事上的想法。也暗中谴责爱德华爵士。为了一个无聊透顶的老女人而妨碍他女儿。这个老女人总是想嫁给一个这么年轻的男人，这种想法应当受到惩罚。不过，总的来说，他的行为和他的品质是相符的，因为对于这样一个没有一丁点情感，根本不懂同情是什么意思，还在车上打呼噜的男人来说，你还指望他能好到哪里去呢？

在会

劳拉

第 15 封信

劳拉来信，接前函

我们到了城里准备吃早饭的时候，我准备和费兰德和古斯特福斯聊一聊。因此，我一下车就径直来到车篮那里，关切地询问他们的健康，并表达了对他们艰难处境的担忧。一开始的时候他们对我的出现还感到疑惑，害怕我想找他们算账，指责他们拿走了我祖父本来留给我的那一笔钱。但是当他们发现，我对此只字不提，就请我坐到车篮里，好好聊一聊。因此我爬上车篮，看到其他人都在狼吞虎咽地吃着黄油面包，喝着绿茶。我们也在伤感的气氛中优雅地一边美餐一边倾谈。我给他们讲述了生命中所发生的一切，并且应我的请求，他们也给我讲了他们的一切遭遇。

"你知道，圣克莱尔爵士和一个意大利歌剧女郎劳丽娜生了两个女儿，我们就是这两个女儿的儿子。我们的母亲都没法分清到底谁是我们的父亲，不过，一般认为，费兰德是一个名叫菲利普 · 琼斯的泥瓦匠的儿子，而我的父亲是格里高利 · 斯戴福斯，他在爱丁堡以做紧身胸衣为生。这对我们来说没有任何影响，因为我们的母亲从未没有嫁给他们，因此这根本不会反映我们血统的卑贱。事实上我们有纯洁而古老的血统渊源。波尔莎（费兰德的母亲）和阿加莎（我的母亲）一直生活在一起。她们两个都不富有，两个人的财产加起来原来还有 9000 英镑，但由于她们只能靠老本吃饭，因此到我们 15 岁的时候，就只剩下 900 英镑了。她们一直把这 900 英镑藏在公共客厅里一张桌子的抽屉里，以便随时取用。不知道是因为这笔钱唾手可得，还是因为我们出于自利的愿望，或是我们超强的敏感（我们在这方面就一直非常出色），总之可以断定的是，我们 15 岁那年拿着那 900 英镑离家出走了。获得这笔财富之后，我们决定要节省开消，绝不能胡乱挥霍，奢靡浪费。为了实现我们的决心，我们把这笔钱分成了 9 份，第 1 份用于吃饭，第 2 份用于酒水，第 3 份用于日常开销，第 4 份用于乘车出行，第 5 份用于马匹，第 6 份用于雇佣佣人，第 7 份用于娱乐，第 8 份用于穿带，第 9 份用于购买银腰带钩。我们就按这种花消的分配方式执行了两个月（因为我们想用尽可能长的时间来支配这 900

英镑），然后，匆忙地来到伦敦，用 7 个星期零 1 天的时间花掉了这笔钱，这比我们原先规划的时间早了 6 天。一旦卸掉了这笔巨款给我们的重负，我们倍感轻松，便开始考虑回到我们母亲的身旁。但是我们在一次偶然的谈话中得知他们两个饿死了，因此就放弃原来的计划，决定加入一个戏剧团，因为我们一直对舞台表演感兴趣。于是我们向一个剧团申请找点活计并被接收下来。我们的剧团规模很小，成员只有团长和妻子，再加上我们两个。但是这样也不需要给多少人付工资。唯一不便的地方就是，我们缺乏人手，角色数目不够，能够上演的剧目少的可怜。不过这点小事对我们来讲算不了什么。我们最受欢迎的一出戏是《麦克白》，演技也非常高超。团长本人总是扮演班柯，他的妻子扮演麦克白夫人，我扮演三个女巫，而费兰德则扮演其他角色。说实话，这出悲剧不仅是最精彩的剧目，而且是我们演过的唯一剧目。我们在英格兰和威尔士巡演之后，就来到苏格兰，准备演遍大不列颠其他所有地方。当你来到这里碰见你祖父的时候，我们正好住在城里。他的马车开进来的时候，我们正好在旅馆的院子里。通过马车的盾徽，我们知道圣克莱尔男爵就是我们的外祖父。我们两个一致决定，借助这个机会。搞清楚他和我们的关系，并想办法从他那里得到些什么——你也知道我们做得很成功——在得到200英镑之后，我们立即离开了爱丁堡，也离开了剧团，让团长和他的妻子自个儿演《麦克白》。我们踏上了前往斯特灵的路，在那里出手阔绰，花掉了我们的这一小笔财富。现在我们正要返回爱丁堡，准备在表演事业上更上一层楼。表妹啊，这就是我们的故事。”

我感谢这位和善的年轻人给我讲述关于他的生动故事，在我表达了对他们的祝福之后，离开了他们，回到我的其他朋友身边。他们都在焦急地等待着我回来。

我最亲爱的玛丽安，我的故事就快讲完了，至少对现在来说已经接近尾声。

我们来到爱丁堡后，爱德华男爵告诉我，既然我是他儿子的遗孀，他想让我接受他给我每年400英镑的赡养费。我非常大方地应允，表示愿意接受，尽管我不能阻止自己产生这样的想法——这位毫无同情心的男爵能够给我钱，只是因为我是爱德华的遗孀，而并非因为我是优雅美丽的劳拉。

在苏格兰高地一个浪漫的村庄里，我有了自己的府邸，并住了下来。从此我在这里不再受各种无端往来的打扰，沉浸在忧伤的孤独中，在对死去的父亲、母亲、丈夫和朋友的怀念中度过每一日。

奥古斯塔和格莱姆结婚已经有多年了，他是所有男人中最适合她的。她是在苏格兰的时候与他相识的。

为了找到他地位和财产的继承人，爱德华爵士和多萝西娅女爵结了婚。他的愿望终于实现了。

费兰德和古斯塔夫斯在爱丁堡的戏剧界名声大振，如今回到了考文特花园，并仍然以卢易斯和奎克的艺名表演戏剧。

菲丽帕早已偿清了老天的债务，不过他的丈夫仍然驾驶公共马车，在爱丁堡和斯特灵两地间往返。

在会，我最亲爱的玛丽安

劳拉

完

1790 年 6 月 13 日

论友谊

弗朗西斯·培根

1561—1626

培根接受的是古典教育，启蒙老师是他的清教徒母亲和身为英国王室官员的父亲。从 12 岁起，他就在剑桥大学做学者。后来，培根成了一名出庭律师和政治家，逐步晋升为副总检察长、总检察长、掌玺大臣，并于 1618 年成为大法官。1621 年，他因受贿罪被囚禁在伦敦塔，这一耻辱结束了他的公职生涯。那时，他已经出版了一篇名为《新工具论》的拉丁文格言论文，旨在证明人类对自然的从属地位。在生命的最后五年里，他的创作十分活跃，扩展了对自然世界的认知，追求科学的分类。我们将这篇文章收录于此，反映了培根在宫廷的职业生涯和他对自然分类的热情。他把友谊的果实比作多子石榴，强调了友谊在交往方面的三个好处：给我们的情感带来和平，帮助我们做出正确的判断，并对世俗行为给予支持。

有人说，以独处为乐的人，非兽即神。仅以寥寥数语便将真理和谬言一并道出，这绝非易事。任何人对社会都有一种秘而不宣的天然厌恶和憎恨，身上带着些许野性，这乃是至理真言。如若说，这种厌恶和憎恨具有天然的神性，则为大谬，除非他出于爱好或意愿，隔离自身以实现崇高的精神交往，而不单以独处为乐。假扮与伪装孤独者，异教徒中不乏其人，如克利特人埃庇米尼得斯、罗马国王努马、西西里人恩培多克勒、和泰安那人波罗尼俄斯是也；古代众多隐士与教会长老中，亦有真正的孤独者。然而，很少有人领悟独处的实质及独处之所止处，因为群氓不可以为伴，人面无异廊中画像，交谈犹如钹响，并无爱可言。拉丁语有名言曰，“城有多大，孤独则有多大”，就点出个中微理，因为一座城中朋友分散，多数不能相邻而居。不过，可以进一步说，人若无挚友，则其身孤也必居惨，此为至理之言，因为没有朋友，世界就是荒野。甚至以独处的本意而言，凡天性不称交友者，不晓知交之情者，其本性必出自野兽，而非人性。

各种欲望会导致内心郁结，愤懑之气如若得以宣泄排遣，则会心中释然，此为友谊硕果之一。郁结抑塞之症为人体之大忌，可谓人尽皆知，精神亦大体如此；菝葜可以疏肝，氯铁可以通脾；硫华可以润肺；狸胶以浚脑；若要疏心，却无良药，只一知己足矣。所谓知己者，可与分忧，可与同乐，可与排恐，可与同祈，可与解疑，可与相谏，凡心之重负积压，交面忏悔而可不入教堂。

说来奇怪，圣君大帝无不珍重此所谓友谊之果；其重视之极，可以弃安危与尊贵于不顾以求知交。一国之君，财富与地位与臣民悬殊，只有擢升黎民使之为伴，共席同座，虽屡有不便，但除此之外，就得不到交谊之美果。现代语言称此类友侣为“宠臣”或“亲信”，仿佛皆因帝君之私恩与亲交使然。然而罗马人所谓“分忧者”，此名道出友谊之功用与缘由——唯有分忧，方可共袍。各国君王，凡是在位者，均有举凡提俗之举——有柔弱多情之君，亦有足智之贤主。他们常与臣仆联袂，互呼为友，更使旁人效法，以友人称之，其称谓与平常人无异。

苏拉执掌罗马时，迁庞培（后人称之为“伟大”庞培）至显职，庞培乃自命高大，视苏拉贤不如己。庞培曾相助一友人，使其获执政官之职，然此人却非苏拉所选，故苏拉略有怨愤，出言倨傲，庞培则反唇相叱，几近于命其缄口，“因为慕朝暾者众，仰夕晖者寡”。代西玛斯·布鲁图斯曾获尤利乌斯·恺撒青睐，竟然使恺撒定遗嘱，立他为顺序继承人，其位次仅在恺撒外甥之后。正是此人，其权力之大，终致恺撒于死地。恺撒因天降凶兆，加之王后卡尔普尼亚做了噩梦，便欲解散元老会；然而此人轻曳恺撒小臂，使之离座，并告之曰，望恺撒勿解散元老会，待夫人做得美梦一场即可开会。安东尼在一封信里（西塞罗底在《驳菲利普文》中全文引用）呼代西玛斯·布鲁图斯为“妖蛊之人”，好像他用妖邪之术迷惑了恺撒，可见其得恺撒欢宠之深！阿葛瑞帕出身卑微，奥古斯都将其升至显位，后来奥古斯都因女儿尤利娅之婚事向麦西纳斯咨询，麦西纳斯竟冒大不韪地说，“他必须要么把爱女嫁给阿葛瑞帕，要么杀掉阿葛瑞帕，除此之外，再无他法，皆因是他成就了阿葛瑞帕的显赫”。提比略当政时，塞亚努斯官居显赫，二人竟以朋友齐名并称。提比略修书给塞亚努斯道：“为知交故，未敢有所隐匿”。为彰显二人高谊之亲密，元老院乃设祭坛以供“友谊”，其法似若祭供女神。塞普谛米亚斯·塞委拉斯与普劳梯亚努斯底相交之谊有类于此，亦犹过之——塞委拉斯逼其子娶普劳梯亚努斯之女为妻，每每有普劳梯亚努斯忤犯其子意图，塞委拉斯则偏袒之，且致函元老院云:“朕爱此人甚笃，愿先死也。”如若这些君王是图拉真或马喀斯·奥瑞利亚斯，若常人之言，一切皆为本性善之充盈内心，惠泽他人。然而，这些君主深谋远虑，胸中刚毅凌厉，爱己而无不极，竟有如此表现，则足以证明其不满于自身幸福（虽凡人所不能望及），希冀交得朋友而使人生完满。然而，君王有妻儿、甥侄，凡此一切却不能使其享受朋友之乐。

莫要忘记康明对其第一任主公——“勇士”公爵查理之评价。他说，查理从不向人吐露心迹，尤其是困扰他最深的秘密。康明还说，在公爵生命之末，这种缄默使其理解力受损甚至丧失。当然，如若康明乐意，可以同样的话评价第二任主公——路易十一。路易十一讳莫如深，这使他深受其苦。毕达哥拉斯有箴言曰:“勿食汝心”，此语虽晦涩，却言之凿凿。如若勉强作解，意即——无知心可倾谈者，即取自己之心为食。有一点颇令人惊奇（且以此作为友谊硕果之一的探讨）——向朋友倾诉衷肠会有两种相反效果：一使欢乐增倍，一使忧愁损半；盖因与人同乐者其乐益多，与人分忧者其忧益少。友谊于心智之功，大类炼金，炼金师以石试身，其用虽反，其效甚益于本性。无须求乞于炼金师，此象昭然若揭，乃天性之常道。盖万物形体，合则增蓄自然之力，分则损钝外力之烈，人心亦然。

友谊功效之二，为理解之至要，且有益于理解，正如第一效用之有益于情感。情感之友谊化狂风暴雨为朗日；理解之友谊化迷思与黑暗为日光。此效用非特指以诤言相谏之友，于常人也是如此，在得友人谏言之前，凡心中有繁芜杂念者，若告之友人或与友交谈，其心智、理解必豁然开朗，其运思则愈易，排思遣念亦愈有序，看思想化作言语，其形也昭著。再者，与友人交谈一时，甚于冥思一日，其智慧则比向者增益愈多，毫无疑义。塞密斯陶克立斯于波斯王之语甚是："言语如展陈之挂毡，其像显于纹线，其思则隐于集结之处"。友谊之第二功用，在于启智，亦不限于进谏之友（如是，固然最佳），纵无此诤友，亦能使己自知，袒心迹于光天之下，磨砺智慧，若刀受砥而砥不为毁。概言之，宁与雕像、图画倾诉，不可令思想窒息而亡。

若使友谊之第二功效完整，另有一点，其理虽白，却不为凡人所解，即知己之忠言。赫拉克利特之言甚晦涩：光以燥者最佳。诚然，得人忠言之光，其质干燥纯粹，甚于一己之理解、一己之判断，盖因自主理解与判断常浸于情理、尘俗之中。故而朋友之谏异于自己之谏，正如友人之忠言与谄人之魅言，二者相殊甚巨。忠言有二，其一关乎利益，其二关乎事业。其一者，保思想健康之良药，莫过于朋友之忠诚；严于自责则或过尖锐、淄蠹和气。读修德之书未免乏味、腐套；观舛误于他人则于己不宜。然则，上佳之药方（依我之言，药效与进药皆为最佳之法），乃朋友之忠告。因无诤友之告劝而酿大错，行极谬之事者，不可胜数（伟人之数尤不少），以至身败名裂。此类人，如圣雅各所言，“观镜中像，倏忽忘其形貌”。其二之于事业者，或可以为，二目所视与一目所视无异；对弈者较观棋者更谙棋局；人之嗔怒与默念二十四字母相比，皆可保持理智；以臂支枪与以架托枪，两者皆可中的；如此种种，皆属幼稚之谬想。矫正事业者，诤言也；凡愿纳谏之人，必分而纳之，以一事采言于一人，另一事则复采言于另一人。如是则甚好（或许，比不求教于他人者更好），然而，求教于人者，冒两面之险，一则得不到忠告，盖因若非莫逆至交，少有进言而不曲图私利之人；二则进言虽出于善意，却妨情碍事，有所治，亦有所害；正如求艾之事，方家擅治此病，却不晓病体之灶，以至或病瘳而致他症，或病治而人绝亡。知人处境之朋友，必谨慎进言，策进当前事业，以防突致不便。故此，莫要依赖逸言散谏，因其只能干扰意志，误导方向，而不能排遣困难，指引道路。

友谊二大卓效（心情之平和与判断之辅弼）之后，尚有一大功效：此功效有如多子石榴。吾意即指补助之力，可见于一切行动及场合。展现友谊多重功效，最佳方法便是历数人所不能亲为之事，如此便知。古人所谓“朋友乃另一自我”，不足以道之，朋友乃不止于自我者也。死生有命，人将死而心中欲求不辍，不肯释怀，若子嗣之遗馈，尘事之未竟，诸如此类。人若能得一挚友，则可释然而歇，因一切忧心事皆得以接续料理。如此，人若有两命，可使欲望再得慊足。凡人皆有形骸，局促于方寸之地，然而，友谊之所在，一切生命之功干皆赋予彼身，为其代理：一切事务皆可借由朋友料理。世间有多少事，却因薄面不能亲说或亲为？人难以谦谦然自表攻伐，不自矜者则益难矣。然则，人或不屑于哀恳乞求，诸如此类之事不少。然若全出自朋友之口，则全无自己之赧颜相告。再者，人关系重重，不可弃之不顾。凡有言，必以父语子，以夫语妻，若语敌，则不得不顾及身份。但凡朋友相语，则以事论事，不必虑及关系。然而，此类优点，不可胜数。人若有不适之角色，可循此条：人如若无一知交，不如退下舞台。

塞缪尔·约翰逊传

节选

詹姆斯·博斯韦尔

1740—1795

博斯韦尔出生于苏格兰，接受过律师职业培训。为了实现加入启蒙运动中政治世界和文学世界的愿望，博斯韦尔吸引了欧洲主要人物——包括卢梭、伏尔泰，以及英国最重要的文学家塞缪尔·约翰逊。在伦敦，他加入了俱乐部，这是一个由包括约翰逊、奥利弗·戈德史密斯、埃德蒙·伯克和亚当·斯密在内的知名人士组成的名人堂。在《塞缪尔·约翰逊传》中，博斯韦尔坚持认为，“友谊的感觉就像是肚子里装满烤牛肉一样令人心满意足；而爱，就像痛饮香槟酒一样让人活力迸发。”博斯韦尔的比喻是对埃德蒙·沃勒 17 世纪的诗《献给阿莫雷特》的解释性转述。正如下面的节选所示，天才的约翰逊博士立即指出博斯韦尔此话的来源，并表示强烈反对。对于比他更有名的这位助手和旅伴的天才，博斯韦尔赞扬有加，这个选段就是一个典型的例子（见他的《赫布里底群岛之旅日记》）。博斯韦尔在他生命的最后十年里完成了一项艰巨的任务，那就是把约翰逊写进了史册。

4 月 10 日星期五，我在奥格勒索普将军府邸进餐，在那里遇到了哥尔德史密斯博士。……有人提出这样一个问题：两个人若在关键点上意见不合，还能否作为朋友融洽相处？约翰逊说能，哥尔德史密斯则说不能，因为他们的好恶各自有别。约翰逊说：“可是，先生，对于不赞同的话题，你必须避而不谈。比如，我和伯克相处甚洽——我喜欢他的学识、他的天赋、他的热情洋溢，还有他谈话时的妙趣横生，但我不会和他谈论罗金厄姆辉格党。”哥尔德史密斯说：“不过，先生，两个人住在一起，若因某事意见不合就退避三舍，这不就陷入蓝胡子故事中的那种局面了吗？‘除了一个房间，其他地方你可以随意看。’但是我们最想看，最想谈的偏偏是那个房间。”约翰逊大声说道：“先生，我并不是想说您可以做到与人意见不合还能友好共处，我只是想说，我可以做到这一点。你让我想到了奥维德诗歌里描写的萨福。”

4 月 16 日，星期六。今天是复活节，圣保罗教堂举行了庄严的仪式。仪式之后，我和约翰逊博士以及威廉姆斯太太共进晚餐。我提出，贺拉斯把幸福列为不值得大惊小怪的事，这是不对的，因为我认为倾慕之心是一切情感中最美好的。但遗憾的是，我已经失去了太多那种对人心生倾慕的性情。随着年龄增长，人们往往丧失对他人表示钦慕的性情。约翰逊说：“先生，一个人随着年龄增长，他所收获的比别人的钦慕更理想，那就是判断力，即判断事物真正价值的能力。”我坚持自己的意见，表示倾慕之心比判断力能给人带来愉悦，就像爱情比友谊更令人愉悦一般。友情就像肚子里填饱烤牛肉一样令人心满意足，而爱情就像香槟酒，让人活力迸发。约翰逊说：“不，先生，爱情和倾慕之心就像喝完香槟酒后的浓浓醉意，而判断力和友情却是酒力带来的活力四射。沃勒也提出和你一样的想法，但我不相信你是借用沃勒的思想。我倒是觉得，你要是能够向更多的人借用思想就更好了。”

友谊

拉尔夫 · 沃尔多 · 爱默生

1803—1882

爱默生是哲学家、诗人、散文家、牧师和讲师，他的所有努力都塑造了他的超验主义概念。这是一种乐观的 19 世纪中期的神秘理想主义，倡导与自然交流，相信智慧洞察力会带来顿悟的时刻。爱默生对个体经历、自立和孤独的强烈关注很难与社交相融。他与新英格兰思想家玛格丽特 · 富勒和亨利 · 大卫 · 梭罗长期讨论友谊的本质，最终使爱默生达成他在《友谊》中所描述的妥协。他警告说，没有一种友谊是完美的，坚持自己理想的人，可能会长期孤独地行走。他写道，所有的关系都必须是一种妥协。这篇文章的核心悖论是，朋友可以帮助你发现更好的自我，但你实际需要做的工作是，凭借自己成为一个更好的人。

我们所拥有的友爱，比起我们言辞所能表达的要多得多。自私就像凛冽的寒风，让这个世界颤抖，然而，整个人类大家庭仍然沐浴在绵绵爱意之中，如大气一般弥漫苍穹。有多少人儿，与我们相逢在一间屋中，虽不曾交谈，却能够你向我，我向你相互致敬！有多少人儿，与我们邂逅在街头，或同坐在教堂中，虽默默相伴，却由衷地感到愉悦！去读一读那一道道游弋的目光中的语言吧，我们的心会懂得一切！

沉浸在这种人间柔情之中，我们会感到发自心底的莫名激荡。在诗行里、对话中，我们感受到对他人的那种善意和愉悦，就如同燃烧的火焰那么切实，那发自内里的热是如此迅捷，如此活泼，如此感人；不，更迅捷、更活泼、更感人！从最崇高的炽烈的爱，到最卑微的善意的问候，是它们让生活充满甜蜜。

我们的智识和行动能力与柔情一道增长。当学者坐下来开始写作，多年的冥思却不能带来一丝美妙的或是欢愉的表达；然而，给朋友写一封信却是必不可少的，一旦开始，那柔情就如泉涌，每一落笔，都以精妙的词句汩汩而出。君不见，每一户人家，只要有美德和自尊做主人，当有生客前来拜访，都会引起内心的漾动。人们满怀期待地迎接尊客并高声宣布贵客莅临，于是乎，全家上下，所有人心中都生出一种介于快乐和痛苦之间的不安之感。他的到来，让那盛情开放的心几乎感到不安。于是屋子被打扫得干干净净，所有东西转瞬间物归原位，旧衣也换成新装；如果有能力，一顿饭菜必不可少。对于尊贵的客人，人们对他只有交口称赞，我们听到的也全部是关于他们的美好、新鲜的东西。对我们来说，他就是人性的代表，是我们心之所往。我们寄予他美好的想象和愿望，并自问应该如何与这位客人保持关系，与他交谈和互动，并总是惴惴不安。这种心理使我们与他的交谈变得高尚起来。我们的谈吐比以往更加高雅，思维无比敏捷，记忆更加清晰，讷言的魔鬼此刻也不再附身。一连几个小时，我们滔滔不绝，真诚优雅地深入交谈，把最遥远的、最私密的经历当作话题，而陪坐一旁的亲戚朋友也一定会惊奇地发现我们原来拥有这么非凡的能力。但是，一旦陌生访客开始让他的偏好、定义、缺陷侵入交谈话题时，一切就结束了。在我们这里，他已经听到了最初的、最后的，也是最好的话。他不再是一名陌生人。庸俗、无知和误解对我们来说可是老熟人。此时，如果他来拜访，他可能会看到整洁的屋子、得体的衣装和美味的饭菜，然而，那跳动的心和灵魂的交融，却是再也得不到了。

柔情的喷涌是令人愉悦的，它再一次为我照亮了一个年轻的世界。两个人在思想、情感上坦诚、实在的相逢是一种曼妙的经历。与跳动的心相接触，走近那些富有才华的朋友、看到坦诚的人的身形，那是多么美妙！当我们徜徉在温情之中，地球就会蜕变：没有寒冬，没有黑夜，一切悲剧、一切倦意，将全部消失。所有职责之内的事情全部得以解决，从此刻起，那永恒中不再有任何杂物，而是充盈着我们所爱之人的形象，光辉四射。心灵必须坚信，在宇宙的某处，它一定会与朋友相逢，因此它愿在孤独中欢喜、幸福地等待一千年。

今天早上，我带着对新老朋友的感激从睡梦中醒来。我是不是应该把上帝称为美？他每日都赐予我这样的礼物。我诘责社会，拥抱孤独，可我也不至于那么不懂得感恩，对那些不时从门前经过的睿智、可爱、思想高尚的人们视而不见。他们能够听到我，理解我，并成为我——他们是我一生的财产。自然也毫不吝啬，多次给予我这种欢乐，我们这样便可以编织出属于自己的社会之线，组成一张关系之网。随着许多思想一个个变成现实，我们便能在自己创造的这个新世界中屹立，不再是过去世界中的那些陌生人和漂泊者。我的朋友们不请自来，是伟大的上帝把他们赐予了我。凭借最古老的正确判断，在与它具有神圣亲缘关系的德性的指引下，我发现了他们。或者说，不是我发现了他们，而是在我和他们身上的神性嘲弄并推倒了那堵竖立在不同个性、关系、年龄、性别、状况之间的厚墙，通常，这种神性会默许这样的态度，而现在它把所有人都融合在一起了。我无比感激你们，那些优秀的爱着我的人们，是你们为我展开了一个崭新而具有深度的世界，是你们拓宽了我思想的意义。这些人不是僵硬死板之人，而是上帝新赋的诗篇，永不休止，是颂诗、赞歌、史诗和流动的诗行，是阿波罗和缪斯正在颂唱的诗歌，而不是凝固在死气沉沉的书本中的注释和语法条规。这些人——

或者他们中的一些——是否还会和我分离？我不知道，但是我不担心，因为我和他们的关系是如此纯洁，我们因情投意合而单纯地交往，我生命的守护神是如此喜爱芝兰之交，无论我身处何方，凡是像这些男人和女人一样高贵的人们，都会感受到这种投分力量的牵引。

在这一点上，我承认，人天生无比脆弱，“亲酿毒浆，沉饮芳醪”，身陷柔情不可自拔而无比危险。新雨初交对我来说是一件大事，使我无法入眠。近来，我与两三朋友初识，他们给了我美妙的时光，令我对他们略生思慕之忱。但是，这种快乐在白日里终止了，没有生出什么结果。既没有产生新思想，我的行动也没有因其而发生改变。

我必须为朋友的成就感到骄傲，仿佛这些成就为我所有，他的品行中有一种狂放、细腻、令人心跳的特质。每当他受到赞扬，我心中就生出一股暖意，就好像一个恋人听到人们对他的未婚妻大加赞誉一样。对朋友内里的品质，我们赞誉有加，不觉为过。他的品质似乎比我们更优秀，他们的本性更美好，更不为各种名利所诱惑。凡属于他的一切，他的名字、他的身形、他的衣着、他的书本和用具，在我们的想象中变得更加美好。我们的思想一旦从他的口中说出对便是那么新颖生动。

然而，心的缩张与爱的消长有那么几分相似。友谊就像不朽的灵魂一样无限美好，这不免令人难以相信。当情郎看到新娘时，便隐隐知道她并非他真正倾慕的对象；在友情最浓盛的时刻，我们会为自己的些许怀疑和不信而感到惊讶。我们怀疑，是我们赋予了他闪耀的品质，而后去崇拜我们认为神灵借以栖身的躯壳。严格说，灵魂对人的尊敬不如对自己的尊敬。从精确的科学意义上讲，所有人都具有这种无限冷漠的条件。当我们面对事实，为这座天国圣殿挖掘其形而上学根基的时候，我们难道还害怕爱会冷却吗？难道我不正和我所见的事物一样是真实的吗？如果我说真实的，就不会害怕知道它们的本来面目。它们的本质比起外表来并没有少了多少美丽，尽管要懂得它们，需要更敏锐的感官。在科学的视线中，植物的根并不是有碍观瞻，但我们会将其茎部截短，用以装点花环和节日花彩。在各种美妙的遐想之余，我必须斗胆揭示这样一个不可争辩的事实，就像在宴会上陈设出一具埃及骷髅一般。一个与思想站在一起的人，其自我认知也很辉煌。他觉得自己无往不利，即便他的成功是以一次又一次的失败换来。任何优势、权力、黄金或暴力，都不是他的对手。我别无选择，只能依赖自己的贫穷，而不是你的财富。我不能把你的自我意识完全等同于我的意识。光亮夺目的只有恒星，行星只会发出像月亮一般微弱的光亮。我听见你赞颂某人非凡的才能和坚韧的脾性，但是，我同样看到，尽管他华服加身，我依然不会喜欢他，除非他最终变成像我一样贫穷的人。哦，朋友，我不能否认，在那巍巍盛象之中，你就在那片恢宏的光影之中，那色彩斑驳陆离、广阔无垠的地方，也有你的身影，相形之下，其他所有人只是一片阴暗的影子。你并非本质的存在，就像真理和正义那样——你不是我的灵魂，而只是我灵魂的一幅图画或肖像。你刚刚来到我的身旁。就已经拿起帽子和大氅准备离去。心灵生出朋友，不正如绿树生出枝叶吗？新蕾一发芽，旧叶便会凋零。自然的法则就是永恒的新陈代谢。每一次电流状态的变动，都会导致相反的电荷。灵魂的四周由朋友包围，进入一种更宏丽的自我认知或孤独境界；某个季节，他却会独来独往，以便使他与别人的对话和交往得以升华。在我们的个人关系史上，这一方法一直若隐若现。温情的本能使我们重燃与朋友结合的希望，而独处愿望的回归却把我们召唤回来，不再参与那世间的追逐。每一个人就这样在追寻友谊的过程中度过一生，如果他能够记录下真实情感，他一定会给每一个他友爱的对象写出一封像下面这样的信：——

“亲爱的朋友：

如果我相信你，相信你的能力，让我的情绪与你保持一致，就绝不会在意你来来去去这样的琐事了。我不太通晓世故，我的喜怒哀乐总是表达得很直接——我敬仰你的天分，你的睿智对我来说深不可测。然而我却不敢妄加推测你完全了解我；因此对我而言，你就是一场令人愉悦的折磨。我将永远属于你，或者与你毫无瓜葛。”

然而这些令人不安的愉悦和微妙的痛苦只是为了满足

好奇心，而不是为了生活。我们不能沉溺于其中。这样是在结网而不是织布。我们的友情匆匆而过，短暂而脆弱，那是因为我们用美酒和梦幻编织它，而不是用坚韧的心灵之线织就。友谊的法则伟大、庄重而永恒，它和自然法则与道德法则共同编织出一张网。但是我们瞄准的却是急功小利，迫不及待地吮吸甘露。在上帝的大花园中，我们看到果子就争相抢夺，殊不知它们是生长期最慢的果实，必须经历几好几个寒冬和酷夏方能成熟。我们寻找朋友并不是抱着神圣的信念，而是掺杂着一种想把它据为己有的邪念与激情，徒劳无益。我们全身上下都带着一种微妙的对抗情绪，甫一相逢，便开始发挥作用，把一切诗歌转换成陈腐的散文。所有人在与人交往时都要屈尊相迎，一切交往必定是一种妥协。最糟糕的是，彼此一相逢。美好的天性之花及其芬芳便消失殆尽。现实中的交往总是令人失望，即便和品德高尚、天赋异禀的人交往也不免于此。在富有远见卓识的交谈之后，处于友谊和思想的巅峰的我们必须即刻准备接受挫折的打击，面对突如其来、不合时宜的冷漠的折磨，忍受癫狂与理智的间歇发作。我们的官能并没有对我们诚实相待，双方只有独处才能得以解脱。

与任何人交往，我都应该平等相待。我有多少朋友，与每一个朋友交谈什么内容，这都无关紧要，但只要有一个人我无法和他保持平等，情况就大不相同了。如果在一次不平等的争辩中我退下阵来，剩下的乐趣将转瞬间变得卑鄙而怯懦。假如这时我还把朋友当成避难所，我会因此而憎恨自己。

骁勇的武士英名远扬，
他百战百胜，无比风光。
只要有一次败仗，
功名簿上的荣誉便一落千丈，
所有的辉煌从此被彻底遗忘。

上面的诗尖锐地批评了我们的急功近利。羞怯和冷漠像一层坚硬的壳，保护着里面脆弱的组织，使之不至于过早成熟。在其他任何灵魂尚未成熟，尚未了解和拥有它之前，如果灵魂就已经认识了自己，它就会迷失方向。我们应当尊重自然的缓慢进程，它打磨一颗坚硬的红宝石需要一百万年，它持之以恒地创造着，阿尔卑斯山和安第斯山就如同彩虹一般形成然后消逝。生命的美好精神居住在天堂，那天堂的无价绝非任何急躁可比。爱是上帝的本质，绝非轻浮可及。它代表一个人的全部价值。在我们待人接物中，不能够有这样幼稚的奢华，而是要追求最质朴的价值。让我们带着大胆的信任来接触我们的朋友吧，相信他内心的真诚，相信他宽厚的品质，相信他的人性根基坚固而不可颠覆。

谈到这个话题，我忍不住要多说几句。因此我暂时不去谈交谊的种种好处，只说说那种特殊而神圣的绝对关系，这种关系甚至使爱的语言也显得平庸可疑。它比一切关系都更加纯洁，没有什么像它这样神圣。

我无意对友情这样精描细写，而是以最质朴的勇气展开讨论。现实中的友谊不是玻璃丝，也不是窗户上的霜花，而是我们所知道的最实在的东西。现在，在积累了多少世代的经历之后，对自然、对自身，我们又知道多少呢？在解决归宿问题的道路上，人还没有迈出一步，而世上所有的人都应该因自身的愚蠢受到谴责。从我与兄弟的灵魂之盟中，我感受到了内心欢愉和安详所带来的那种甜美的真诚，它就是果核。本性也罢，思想也罢，一切只不过是外壳。心中拥有一座能接纳朋友的处所，那是一种幸福。哪怕只能接待他一日，把这居所建造成节庆的亭榭和拱廊，也是值得的。如果他懂得彼此间这种庄严的关系，并尊重这种关系法则，那将会更加幸福。这不是一种闲散的结盟，也不是什么假日的约定。任何自愿加入这一契约的人，就像奥林匹亚神一样出现，参加庄严的赛事。在这里，最年长的老者也都是赛手。他提出参与赛事，对手名单上也有时间、欲望和危险；但是只有他自己成为获胜者——他的体格中有足够的真诚，保护他的优雅和健美不受磨损。幸运的天赐或许会眷顾，也或许会缺席，但赛场上的一切不虞都取决于他内在的高贵和不拘小节。友谊由两种元素构成，每一种都至高无上，因此我无法分清孰优孰劣，也没有理由把任何一个排在前面。第一个元素乃是真诚。所谓朋友，就是我能以诚相待的人。在朋友面前，我可以畅所欲言。当我最终站在这样一个真实而平等的人面前时，我可以卸掉一切人们不愿抛去的最隐秘的伪装外衣，不再拘束于礼节和瞻前顾后的想法，与他展开淳朴和完整的交往，就像两粒在化学反应中碰撞的原子一般。真诚如王冠，如权威，只属于最高层次的人，因为他们能够坦言相告。除了真理，不需要对任何事物卑躬屈膝，亦步亦趋。每一个独处的人都是真诚的。当我们走近另一个人时，虚伪就粉墨登场了。我们用恭维、闲话、逗乐、琐事来回避和抵挡他人的接近 。我们千层百叠地掩饰自己的思想，不让他人知道。我认识一个人，他出于某种宗教的狂热，抛弃了这层虚饰，忘却一切恭维和空泛的客套，与每个相逢的人进行良心的对话，言语中不乏洞见与美。起初他遭到抵制，所有人都认为他是个疯子。然而他坚持不懈，因为他实在是不由得自己这样做，就这样坚持了一段时间，终于实现与他认识的每一个人建立起真诚的关系。没有人想到要和他说假话，或者用市场和阅览室闲聊的方式来打发他。面对他，每个人都不得不拿出十足的率真。他怎样热爱自然、喜欢什么诗歌、拥有什么样真理的象征，都自然要展现给朋友。但是对我们大多数人来说，社交展示给人的并不是它的脸和眼，而是它的侧面和后背。在一个虚伪的时代，和人建立真诚的联系，是需要一点点疯癫才能做到的。难道不是这样吗？我们几乎无法挺直腰杆走路。我们遇到的几乎每一个人都要求我们彬彬有礼，客气谦让。他有声名，有才气，脑子里还装着些不容置疑的宗教或慈善的奇思异想，而这恰恰破坏了我和他的一切交谈。但是，朋友是一个理智健全的人，和他交往，得到锻炼的应该是我本人，而非我的机智。我的朋友使我快乐，而不需要我卑躬屈膝，胡言乱语，掩饰自己。所以，朋友这东西本质上是矛盾的。当我独处时，我看不到自然界任何事物像我这样切实存在着，而现在，我亲眼看见还有其他人像我一样存在着。他们高矮不一，性格万变，充满好奇，确确实实以地一个个与我相异的躯体展现出来。朋友真可谓自然的杰作！

交友的另一个元素是柔情。我们彼此间存在着各种纽带，通过血缘、自尊、恐惧，希望、钱财、情欲，憎恨、倾慕联系起来，我们拥有同样的处境、标志和琐事，然而我们却很难相信另一个人身上有同样的性情能够吸引我们的爱。一个人会拥有如此令人愉悦的品质，而我们又如此纯洁，以至于向他表达柔情吗？当一个人和我亲近时，我就敲响了幸运的大门。关于这个话题，我在书中很少读到能够直叩心灵的谈论。不过有一篇文章却让我铭记在心。那位作者说：“对那些自我昭彰显著的人，我献上微薄而鲁莽的热忱；对那个我最钟情的人，我能够给予他的却少之又少。”我希望友谊不仅有眼睛和雄辩的口才，还应当有脚。它必须脚踏实地，然后才能飞越广寒。我希望它首先具有普通市民的一丝品质，然后才能成为一个天使。我们谴责乡民市井，因为他们把爱变成了商品——友谊是馈物互赠，是务实借贷；是和睦的邻里，是对病人的彻夜守护，是出殡时为人扶柩；在这种关系中，我们看不到那种微妙和崇高的纽带。

虽然我们不能在那随军小贩的伪装下找到神灵的存在，但另一方面，如果诗人将纱线纺织得精致纤细，却不能用公正、守时、忠诚和同情这些日常互动的美德来充实他的浪漫，我依然不能原谅他。我憎恶人们滥用友谊之名，用它来表示时髦而俗不可耐的联盟。我更喜欢有耕夫和小商贩陪伴左右，而不喜欢与丝绸绫罗、浓脂艳粉结交，那些只能在相逢之日用于肤浅的炫耀和庆祝——骑着双驾马车，出入最豪华酒店的宴会，仅此而已。友谊的目的是互通，从最随意的到最谨慎的交往，无不包括在内。交友的严格远远超过我们的所有经历。无论是生死时刻，还是所有的社会关系之中，友谊给予我们帮助和抚慰。友谊最适于丽日晴空、雅致馈赠、陌上信步，也适于崎岖道路、粗粝藜藿，适于航船失事、生计窘蹙和身罹讼灾之时。当我们机智迸发，或处在宗教的恍惚之中，友谊就陪伴在我们身旁。我们要让这日常需求和人生职责具有尊严，并用勇气、智慧和团结装点它。绝不能让友谊落入俗套，一成不变，而是应当给过去的劳役之苦增添韵律和理性。

可以说，完美的友谊需要旷世的天性和极高的代价，需要双方脾性调和，意气相契，适应裕如，即便天时地利兼具（有位诗人说过，即便在这种具体的情况下，爱也要求双方完美匹配）也极难实现。在两个人以上的交往中，完美的友谊无法存在，那些精于此道，懂得人心冷暖的人会这么说。我对我的要求并不算太严格，或许这是因为我从来没有领略过别人经历过的那种友谊。我更情愿满足自己的想象，和一群有着各种不同关系的超凡入圣的男女交往，他们之间存在着一种崇高的理解。但是我发现，就对话而言，这种一对一的法则不容违抗。对话是实践友谊，使友谊臻于完美的捷径。不要把水搅得太深，与最优秀的人相杂，比起与良莠不齐的人相杂，其效果一样糟糕。和两个不同的人分别交谈，你每次都一定会谈笑风生，获益匪浅。但是如果让你们三个相聚一起，你就不会听到一句清新、真诚的话了。可以两个人谈话一个人听，但是三个人不可能共同参与最诚挚、最彻底的交谈。有客来访时，两个隔着桌子的人绝不会推心置腹地谈话，而只有你离开他们，这样的交谈才会产生。有客来访时，每个人的自我便立刻融入交往的集体灵魂，这灵魂和每个在场的人的意识一起延伸。在这种场合，朋友对朋友的偏爱，兄妹的手足之情，夫妻间的恩爱，都是不合适的，反而截然相反。只有那个能抓住在场者共同思想的人才能高谈阔论，并且他不能不合时宜地只谈论关于自己的话题。此刻，得体的社交意识确立的这种规范破坏了卓越交谈的那种高度自由，因为这种会话要求两个灵魂绝对相融。

两个人只有在独处时才会进入更加淳朴的关系。然而哪两个人可以交谈，则取决于他们是否投契。两个毫无干系的人不会给对方带来多少乐趣，也从来不会猜测对方具有多大的潜力。有时我们会谈到会话的某种极高天分，仿佛这种才能是某些人身上永久的才质。会话是一种转瞬即逝的关系，仅此而已。一个人可以因他的思想和辞采而著称，然而，面对他的表亲或者叔伯，却哑口无言。他们指责他的沉默，就像指责阴影里的日晷毫无用处一样没有什么道理。在阳光下，日晷就会指时。一旦身处能够欣赏他思想的人群之中，他便又可以滔滔不绝。

友谊需要在相似与不同之间找到那种罕见的平衡，一方的强势或者另一方的顺从都会令人不悦。我宁愿一个人待到地老天荒，也不愿我的朋友靠一句话或一个眼神跨越他真正同情的界限。对立和顺从同样让我感到不知所措。让他继续做他自己吧，一刻也不要停下。如果他成为我，这给我的唯一乐趣就是，非我所有即是我之所有。当我寻求磊落的支持时，或者即便在寻求一种磊落的抵抗时，却碰到了软弱无力的妥协，这会让我感到反胃，就像乌云挡住了阳光一样。宁可在你的朋友身旁做一棵刺，也不要当他肚子里的应声虫。高尚的友谊所需要的条件，就是不能有任何条件。为了实现这个高尚的职责，就需要具备伟大和崇高的才能。唯有切实的二存在，才能有切实的一。让友谊的结盟成为两个性情的彼此结合吧，它们宽宏而令人敬畏，相互凝视，彼此畏惧，最终认识到这些差异表层下的深层的一致。

只有宽宏大量的人才适于结交。他必须这样才能懂得社交的规则。他必须充分认识到，伟大和善良总是有节制的。他必须是一个不急于干预命运的人。让他不要这么胆大妄为地加以干预吧。给钻石时间吧，它需要几个世纪来才能成形，也不要奢望永恒会加速诞生。友谊需要用一种宗教的态度来对待。我们决不能为所欲为，不能呼号呵令。我们总说，自己选择自己的朋友，但是朋友却是自身选择的结果。尊敬是重要的一部分，要把你的朋友视作一种奇迹。当然，如果他是个杰出之士，就会有你身上所没有的优点。如果你一定要靠他太近，就不会欣赏到他的这些优点。离他稍远一点，给那些优点一些空间吧，让它们增长扩大。不要与朋友过分亲密，以至于你根本没有机会领略他的特殊潜质，就像溺爱儿子的母亲，把儿子锁在房子中，直到他长成柔弱的姑娘。你是做朋友饰品的朋友，还是做他思想的朋友？对一个宽宏的心来说，他会在上千种细微处仍然做一个陌生人，才能在最神圣处与你相逢。只有小男孩和小女孩才会把朋友视作财产，他们不是在吮吸天神的琼浆，而是短暂地从中获得一种惑人的快感。

在加入这互助会之前，让我们先好好见习一番吧。我们为什么要侵扰并亵渎这些高贵而美好的灵魂呢？为什么一定要和你的朋友建立一种鲁莽草率的关系呢？为什么要去他的家中拜访，认识他的母亲、兄弟和姐妹？为什么要在你自己的家中接待前来拜访的他？我们还是不要搞这样的小动作吧。就让他做一个我的精神存在吧。我想从他那里得到的是一则消息、一个思想、一片诚意、一道撇来的目光，而不是街巷中议论的新闻或者美味的浓汤。从庸俗的伴侣那里，我可以获知政治形势，与人闲聊，从街坊邻里那里得到一些小的便利。朋友的陪伴难道不应该像自然那样富有诗意、纯洁无邪、普遍而伟大吗？与那偃卧天际的云彩、溪水里摇曳中流的青草相比，难道我要因我们的友情赧颜见绌吗？我们不要贬低友情，而是把它抬高到那种高尚境界吧。朋友那炯炯有神的质询目光、神采与动作中那孤傲的美，你可不要试图去贬低，而是要加以提高与发扬。要崇拜他的优越，不要把祝愿变成一个简单的想法，而是把一切祝词积攒起来向他倾诉。要保护他，就像他是你的另一半。给你的朋友建立一块属于他自己的王权领地吧。让他永远做你美丽的敌人，他桀骜不驯，令人肃然起敬，而不是一个可以随手抛弃的不值钱的物事。眼睛离得太近就不会看到宝玉的色泽、钻石的光芒。我与朋友之间鱼书雁字，互致往来。这在你看来似乎算不得什么大事，对我来说这就足够了。这是一种精神的馈赠，来而名正，往则言顺，而不会冒犯任何人。那字里行间的温馨值得你以心相托，而不能信任口舌。在这个世上有一种存在，比起那所有史册中记载的英雄行为更为神圣，而你的心将会倾吐出这一预言。

尊重这友情的神圣法则，不要让你的急功近利错过它完美的绽放。我们必须首先属于自己，才能属于他人。犯罪至少满足了这个条件。有一句拉丁谚语说，被罪恶玷污的人都是平等的。你可以与其同谋平等对话。对那些我们倾慕和爱着的人，起初并不能这样做。不过，在我看来，把自我封闭起来，即便是最小的瑕疵，也会玷污全部的友情。在两个精神之间，如果没有了对话，每个人都不能代表整个世界，就不会存在深层的融洽。

友情是如此伟大，我们应当以最恢宏的精神来继承发扬。让我们保持沉默吧，这样就可以听到神灵的低语。不要去干涉。是谁让你把只应对卓越灵魂说的话四处播扬？你不需要有片言只语。不管你的话有多么机巧，多么优雅，多么含蓄。愚蠢和智慧有数不清的等级，而对你来说，说什么话都是轻浮浅薄的。少安毋躁，你的灵魂一定会开口的。等着那永恒和必然的力量将你制服，等到那日月韶光让你轻启朱唇。上帝的唯一酬金就是上帝本身。他对你的报偿不会有任何克扣，也不会以别的形式替代。美德的唯一报酬就是美德。拥有朋友的唯一办法就是成为别人的朋友。要想通过进入人家来接近朋友，那是徒然的。如果没有相似之处，他的灵魂将会更快的离开你，你永远也不会看到他真诚的目光。我们远远地看到品质高贵的人，却遭到他们的排斥；我们为什么要去侵扰他们呢？我们很晚——非常晚——才发现，要想与他们建立我们向往的这种关系，任何安排、引荐、常规或者社交习惯，都徒劳无益。只有当我们的天性上升到同一高度才可以实现；而此时我们才会实现水与水的交融。如果我们此刻没有遇到他们，也就不再需要他们，因为我们已经成为他们。说到底，爱只是一个人价值在另一个人身上的反映。人们有时会相互交换姓名，仿佛这样可以表示他们热爱彼此的灵魂。

我们对友谊的品质要求越高，就越难和人建立有血有肉的实在关系。我们在这个世上孑然独行。我们理想中的友人只不过是梦想和寓言。但是崇高的希望总是让忠诚的心精神振奋，让它看到，在别处，在这种广泛的力量所能触及的其他地方，总有灵魂在行动，在容忍，在挑战。他们会爱我们的，我们也会爱他们。我们庆幸自己在孤独中度过了那幼稚、愚蠢、错误和羞耻的时代。当我们成为成熟的人，就会用英雄的手紧握英雄的手。只是，要以你的见识警醒自己，不要与卑鄙的人结成友好联盟，那样没有友谊可言。我们的浮躁会背叛我们，把我们出卖给没有神灵护佑的鲁莽而愚蠢的联盟。坚持你自己的路，尽管略有所失，却收益颇丰。你阐明立场，亮出自己的身份，让那些虚假的关系无法靠近。你把这世上的长者吸引到身旁，他们都是世上罕有的朝圣者，只有一两个在本性中误入歧途，但最终在庸俗的大众面前现身为幽灵和阴影。

害怕我们的关系保持得过于精神，仿佛这样做我们就会丢掉真诚的爱，这样的想法很愚蠢。不管我们怎样依靠真知灼见来纠正我们的世俗思想，在本性中，我们一定会得到证明，尽管它会使我们失去一些快乐，但也会回报给我们以更大的快乐。如果我们愿意，就来感受一下人与人的完全隔绝吧。我们坚信，内心中一切应有尽有。我们出游欧洲，追寻他人，我们遍览群籍，本能地相信这样做会让我们的潜能焕发，让我们了解自己。我们这样只是一群乞丐而已！那里的人和我们一样。所谓的欧洲，只不过是死人身上褪色的外套；那些书籍也只不过是他们不散的幽魂。让我们丢弃这盲目的崇拜，停止行乞吧。让我们和最亲密的朋友说声再见，向他发出挑战，质问他：“你是谁？松开我的手！我不再依赖你了。”哦，我的兄弟，你有没有看到，我们现在分别，却会在更高层次上相逢，也是为了更多地属于彼此，因为我们更多地属于自我。一个朋友有两副面孔——他一面朝往过去，一面面向未来。他是我往昔时光的孩子，又是我未来的预言师。他引导下一个伟大朋友的到来。他拥有神圣的属性，使友谊不断重生。

我对待朋友就像对待书本，把他们放在能够找到的地方，但却很少使用。我们必须按自己的方式结交朋友，可以因一点点原因就接纳或排斥交往。我不能太多地与朋友交谈；如果他是个伟大的人，就会让我变得伟大，从而不肯屈尊与之交谈。在伟大的日子里，各种预感在我的面前盘旋，它们的影子远远地出现在苍穹中。我应该矢志不渝地追随这些预感。我跨入苍穹是为了抓住它们，踏出苍穹也是为了抓住它们。我唯一担心的是会失去它们，它们正在天空中逐渐消隐，现在只剩下一小片亮光。因此，尽管我珍视朋友，却不能与他们交谈，研究他们的洞见，以免我丢掉自己的见解。因此，放弃这崇高的求索，放弃这精神的天象，不再追逐星辰，而是一起与你实在地感受那温暖的同情，这的确给予我一种日常的快感；但是，我清楚地知道，我将会永远哀悼那些逝去的神灵。诚然，下个星期我将要经历一些倦怠的时刻，去潜心研究一些我不熟悉的事物。那时我会为失去你心灵书写的文字而感到遗憾，并祝愿你能够重新回到我身旁。可是你一旦出现，或许只能让我的头脑中充满新的景象，那些景象不是你自己，而是你的光辉，而我也不再能够与你交谈。因此，我感激我的朋友们同我进行的短暂交谈。我要从他们那里接受的，不是他们所拥有的，而是他们自己。他们要给予我的不是他们寻常可以给我的，而是从他们身上散发出来的品质。然而他们与我的所有关系并没有丝毫逊色，而是更加纯洁。我们相遇就如同没有相遇，分别就如同没有分别。

保持一种崇高的友谊，而不需要对方做出及时的回应，这是我近来的发现，比起以前似乎更有可能实现。如果现实中对方还不够大度，我为什么要因此而自寻烦恼呢？阳光普照四宇，光线也落入负义的空间，只有一小束能从行星身上反射回来。然而，太阳并未因此而感到烦恼。让你的伟大来教育那轻率、冷漠的伴侣吧。如果他不能与你相配，就会旋即消逝，但是你的光辉将会增亮，你不再与蛤蟆、虫豸为伴，而是像天庭里的神灵一样遨游，燃烧。爱人而不能得到回报，被认为是一种羞辱。然而伟大的人会发现真爱不可能得到回报。真爱会超越与它不相称的对象，而是对永恒进行沉思。当分隔两人的脆弱面具裂开时，它并不伤心，而是感到摆脱了尘世，赫然独立。不过说这些话的时候，不可能不对某种关系有所背叛。友谊的本质是完整，是宽宏和信任，它不能够猜疑，不能豢养脆弱。它把它的对象视为神，从而使双方都获得神灵的光晕。

女人间的友谊

艾丽丝 · 艾玛 · 艾夫斯

1876—1930

艾丽丝·艾玛·艾夫斯出生于底特律，曾担任纽约市记者、诗人、戏剧评论家和剧作家，为舞台创作了20篇作品。《村里的邮政局长》是19世纪中叶新英格兰生活的写照，这部剧作大获全胜，共上演了217场。艾夫斯是女性剧作家协会的第一任主席。她写了几部女权主义戏剧，包括《一位非常新的女性》，灵感来自凯瑟琳·沃·麦卡洛赫1890年与她丈夫的律师事务所合作的故事。艾夫斯的新闻报道通常关注性别问题——对选举权的态度、服装改革和时尚、丈夫对家庭财务的控制等。她在国外获得了一些认可，最著名的作品是《斯塔尔的女孩》。这是一部在采矿营地演出的戏剧，作品是在英国完成的，后来才为美国观众所知。在下面的文章中，艾夫斯提出了一个有争议的问题，即女性之间能否成为朋友，并证明了姐妹关系的重要性。下文选自她的著作《女人能干什么？论女性在生意场和文学界的地位》。

那个头脑顽固的法国人罗什福科认为，有了爱情之后，女人会觉得友谊枯燥乏味。斯威夫特也不比他更聪明，眼睁睁地看着身边伊瑟尔·约翰逊和吉福德女爵的终身友谊而写道：“说实话，我从不认识任何一个还说得过去的女人，会对同性有所爱慕”。

一个愤世嫉俗者和一个讽刺作家所做出的这种以偏概全的论调，真的不值得去反驳。可是，即便到了这样高的年龄，我们还时不时听到一些颇有理性的人提出这样的意见，并对这番话似乎笃信无疑。如果我们当中没有一个人能够就这种针对女性的妄言进行一丝的反驳，那可真让人伤心。

在不为公众所知的女人之间存在着真正的友谊，就像专利药品附带的证明一样切实无疑。在一些举世闻名、成绩斐然的女性中，也至少有几个友谊存在的例子，相关的证据也非常充分。但是，如果没有人把普通女人间的友谊作为切实的证据，以证明本文的价值，那么以下名人的例子就可以用来佐证我的论点。

比起兰巴勒公主对她不幸的朋友玛丽·安托瓦内特的

深情，还有谁能做到这么恒久而气贯长虹呢？在一帆风顺的幸福日子里，她们互诉衷肠，而在厄运降临到女王身上的日子里，兰巴勒公主不听劝告，坚持不离开皇宫到别处避险。当她被唤到一个临终的亲戚床前时，安托瓦内特给她写了一封信，恳求她不要返回。她在信中写道："你对我的爱如此深情，你的心将会受到深深的伤害，你将会因我的不幸而流下无数眼泪。别了，我亲爱的兰巴勒；我永远想念你，你知道我永远不会改变的！"然而，公主却急匆匆地返回到危难中的朋友身旁，一直陪伴她走过洗劫、抢掠、刑狱那些可怕的最后的日子，不离不弃，充满温情而英勇无比。

在审判的日子里，当他们试图引诱她说出一些对受害的皇室不利的证词的时候，当红了眼的暴众丧失了人性，像掠食的饿狼一样疯狂嚎叫的时候，她宁愿选择死亡，也不愿背叛。她美丽的头颅高高地挂在一根长矛上，矗立在她为之而死的女人的监狱窗前，浓密的金发里还藏着最后一封玛丽·安托瓦特的来信。

无论你怎样用贬损的语言谈论玛丽亚·特丽莎的这个

女儿，事实却是不可辩驳的——一个女人能够激发并拥有的深情而高贵的友谊，具备同样崇高和美丽的品质。

凯瑟琳·道格拉斯对苏格兰国王詹姆士一世的嫔妃——琼·波福特女爵的深情同样感人至深，气贯长虹。她是后者的宫廷女侍卫。1437 年 2 月 20 日那个可怕的夜晚，当 300 个由阿瑟尔伯爵率领的刺客“闯入皇族内室，凯瑟琳将美丽的胳膊伸到门柱里充当门闩，一直坚持着直到骨折。”

诗人乔叟也有充足的理由慨叹，一个强大的女士与他争夺未婚妻的垂青，以至于他等了八年之久才最终牵起未婚妻的玉手。菲利普·皮卡德是爱德华三世王后的宠臣，她发誓在后者有生之年不会出嫁。因此这位英国诗歌之父不得不耐着性子，管控好自己的灵魂，一直等到王后死后，他的未婚妻获得自由之时。

玛丽·斯图尔特有四个宫廷女侍卫——玛丽·弗莱明、玛丽·贝顿、玛丽·列文斯顿和玛丽·赛顿，她们以“女王的玛丽”并称，除了她们中的一个不得不因病退隐到修道院，其他人在自己的有生之年再也没有离开过皇室女主人，而是给予她支持与安慰，甚至陪伴她走向断头台。

当今有这么一段能够引起人们善意揶揄的友情，那就是萨尔瓦奇·德·法夫罗尔斯夫人对霍尔顿斯—— 即荷兰女王约瑟芬的女儿的忠诚。人们开玩笑地把萨尔瓦奇夫人称为王后的保镖，因为她无论什么场合都与王后如影随形。即便在霍尔顿斯重病在身的最后时刻，她依然不离不弃做她的影子，日夜陪伴着她，并且在她的朋友死后忠诚地执行她的遗嘱，让那些开玩笑的人哑口无言。

为戴维·格里克创作《博西》悲剧的汉娜·穆尔，是当时一个著名的剧作家。在那位悲剧演员死后，汉娜·穆尔对格里克夫人的情感如此专一，以至于这位演员的遗孀称穆尔小姐为她的牧师。

伊丽莎白·卡特女士和约翰逊博士，以及当时其他几个伟大的男性都有交情。她有一个能与她无所不谈的密友凯瑟琳·塔尔波小姐。两个人分享秘密，一直保持通信长达 30 年之久。在这么长时间里，从来没有一次背叛或误解发生。想想吧，那些总是说“女人不能保守秘密”的信口胡言和愤世嫉俗的批评者！想一想吧，40 年守口如瓶，成百上千条秘密，没有向任何人说起！如果有任何男人敢夸下海口，说他拥有比这更宽广深厚的信任和友谊，我们绝不会相信有这样的人。

安娜·塞伍德是当时万众瞩目的一个大美女和作家，她是可爱的霍诺拉·斯奈德忠诚的朋友。斯奈德曾拒绝了安德烈少校的求爱。“啊！”赛伍德写道，“她嫁给了别人，使我和安德烈少校一样感到深深的悲伤！我们两个都永远失去了她。”

赛伍德小姐写过一篇有名的《安德烈少校的颂歌》，在文章里言辞激烈地批评华盛顿，谴责他在处死这位不幸的年轻军官过程中扮演的角色。这篇文章给将军带来了极大的悲痛和羞辱，因此在美国和英国重新修好之后，他派遣一位军官找到了这名英国夫人，并带来各种证件，表明他曾经极力挽救过安德烈。“在我看过证件之后，”他在写给朗格伦两女士的信中说道，“我发现这些证件完全可以证明将军没有过错。我为我草率的谴责感到懊悔。”

前面提到的朗格伦两女士或许是历史有记载的感情最专一的友情例子了。威廉·R. 阿尔格对此有最令人愉悦的记述，我们可以将他的故事大致浓缩为以下情节。18 世纪后半叶，伊利诺·巴特勒夫人和萨拉·庞索比小姐彼此钟情至深，她们决定离开这个社会，一起度过余生。于是她们退隐到一个不为人知的小地方，但是他们的亲戚坚决反对这种古怪的做法，找到了她们的藏身之所，并成功把两人分开带回。众人的反对丝毫没有让她们的热情减弱，她们决定，第二次逃跑必须成功。她们只把这个秘密告诉了一个忠实的仆人，然后就逃走了。她们选择在威尔士浪漫的朗格伦山谷中住下，这里是这个世界上最安静、最美丽的一块地方。她们在这里买下一座小农舍，上上下下装点得温馨舒适，在屋里放满了书，挂起了图画，摆上了这两个优雅而文质彬彬的女人所需的一切东西。邻居不知道她们姓甚名谁，便称他们为“山谷中的女士”。“据说，在 25 年的时间里，她们从来没有在欢乐山谷外停留超过 24 小时。”她们似乎从来没有厌倦过彼此，也没有丝毫的误解。

一个对他们忠心耿耿的仆人曾经多次试图去寻找这两个年轻的女人，但都无终而返。而她们在听说这件事后，却派人找到了这个女仆，使她得以一直服侍她们直到老死。

这个浪漫的友情故事不久就传开了，引得许多尊贵的客人前来朗格伦山谷拜访。许多客人受到主人的真诚接待，并在此后和他们保持大量的通信往来。德·真丽斯夫人热情洋溢地描写了自己与她们相处的时光。她谈及她们雅致的小农舍，特别是她们在书房窗户里摆放着的一个风鸣琴，这也是她第一次听到这种琴声。两个女人能够用大多数当代语言阅读和交谈。赛沃德小姐在描写“这两个密涅瓦[①]”的书房时提到，这里藏有最优秀的散文和诗集，装帧精美，用英语，法语和意大利语写就。她们对但丁推崇备至。赛沃德好几次用诗歌向她们的这个住处致敬，称之为“威尔士的阿尔丁”[②]，并称两位女士为“现实生活中的

---

① 罗马神话中掌管智慧和手工艺的神，译者注。

② 英国中部的一片广袤的森林，也是莎士比亚戏剧《皆大欢喜》的故事发生地。译者注。

罗斯兰和西莉亚[1]”。

两位女人年迈时，马蒂诺小姐曾前往拜访。在她的描写中，这两个古朴典雅的女子绝世仅有，她们身披马袍，长发卷曲，香气袭人，举止庄重，颇有上一世纪的古风。她们声称，即便在漫长的寒冬里困厄于风雪时，也从不曾动过一个念头，回归她们已经抛弃的世界。萨拉·庞索比小姐一直活到了76岁，伊利诺·夏洛特·巴特勒女爵则活到了90岁。她们的死只隔了两年。因此，世人所知的两个最深情的朋友一直相伴生活了60年。今天我们仍然可以看到她们和那个忠实女仆的长眠地，墓前竖着一块大理石墓碑，矗立在这个威尔士小村庄古老的教堂院落中，山谷里绿茵遍地，草地上投下朗格伦山参差的影子。

还有一段举世闻名的友情，发生在天资聪慧的斯塔尔夫人与当时的大美人雷卡米埃夫人之间。在目睹了后者的一幅雕像之后，玛格丽特·福勒在日记中如此写道：“她和斯塔尔夫人之间的亲密无间常常令我沉思。一个女人可以

① 莎士比亚戏剧《皆大欢喜》中的两位女主角，译者注。

爱上另一个女人，一个男人也可以爱上另一个男人，这千真万确。”雷卡米埃夫人对朋友的天赋赞不绝口，而斯塔尔夫人也感到，有这样一位年轻美人陪伴，她如醉如痴。她的真诚、纯洁、崇高品格和其他迷人的品质，总是令人爱慕不已。圣勃夫说，她把友爱的艺术发挥到了极致。吕思特说，她“似乎拥有一种魔咒，能够让嫉妒消失，让诽谤的声音闭口。”不消多说，这种魔咒是一种天生的无私，甜蜜的友善和机敏。对于这两个非凡女人的首次相逢，雷卡米埃说道，“那一天是我生命中的新纪元。”

在斯塔尔夫人被流放后，雷卡米埃夫人不顾冒犯拿破仑去探访她的朋友，而正因为此，她也遭到流放。在这一段令人伤心的时期，她们两人一直保持通信联系。有一次，在收到来自“亲爱的朱丽特”的礼物时，斯塔尔夫人写道:“亲爱的朋友，这件裙子让我感动至深！星期二我要穿着它离开宫廷。我要告诉每一个人，这是你给我的礼物。我要让每一个男人因为你没有穿上它而叹息。”

她从布洛瓦又一次写信说:“亲爱的朱丽特——我们在这里的停留即将结束了。我不能想象乡村或家居生活中没有你会是什么样子。我知道，有一些情感对我来说似乎更加必不可少，但我也知道，在你离开后一切将分崩离析。”在另一封信中，她说:“你的友谊就像沙漠中的清泉永远流淌；而正是这种友情使得我不能不爱你。”

斯塔尔夫人对朋友的评价是正确的，后来发生的事情完美地证明了这一切。结束这段美丽温情的唯一原因是死亡。雷卡米埃夫人为纪念这个文采斐然的作家而作的散文，以及她后来不遗余力地推广她的散文的努力，都出自同样真诚的愿望，比起她对朋友生前的那种情感毫不逊色。

我们这个美好的话题魅力无穷，就像潺潺溪水，“永不停歇地流淌”。只是，恐怕有些读者并不像笔者那样对这个话题有如此高的热情，因此不如适可而止。当然，类似的例子可以写出好几卷书来。对于这些朋友，我们有说不完的溢美之词，比如，伊丽莎白 · 巴雷特 · 布朗宁和玛丽 · 米特福德，琼安 · 巴耶和艾肯小姐，海蒙斯夫人和居斯伯利小姐，斯维钦夫人和罗曼德拉 · 斯图尔扎，玛格丽特 · 福勒和女侯爵阿孔纳提, L. 玛丽亚 · 齐尔德和露西 · 奥斯古德，萨拉·奥斯丁和奥尔良公爵夫人。

在这些女性中，似乎每一个人都在对我们说：“亲爱的姐妹们，你不能没有一个真正的、忠心的朋友。你不能放弃灵魂的升华，因为这种体验会让你的生命广阔而甜蜜。那些自给自足的人，要么是神，要么是魔；他们不是人。最羞怯，最敏感的性情总是躲避社会生活，它需要一个朋友，就像米开朗琪罗需要维多利亚·科隆纳一样。不要期待完美，但是要用甜美的友善来遮盖微小的瑕疵，不要掀起遮布的一角去窥探这些瑕疵是否仍在滋生。瞄准那更高尚的事物去探索，探索，再探索。我们所谈论的这种友谊崇高而又美丽。然而，如果有一丝的嫉妒、恶毒、偏狭、冷漠，都会扼杀这种友谊，就像沙漠中炽热的风将麝香百合摧残一样。男人们要不要采集带刺的葡萄呢？”

一个奴隶女孩生命中的故事

节选

哈丽特 · 雅各布斯

约 1813—1897

雅各布斯出生于在《解放宣言》发表前近半个世纪的奴隶制社会，是美国第一位写下自己奴隶经历的女性。《一个奴隶女孩生命中的故事》涉及对女奴的性剥削，并讲述了雅各布斯如何在一个小得无法全部站直身子的阁楼空间里躲藏七年，最终得以逃脱的故事。后来她来到北方，作为逃亡奴隶生活了十年，与废奴主义者一起工作，并找到了保姆的工作。1852 年，她的波士顿雇主买下了她的自由，后来，雅各布斯发表她的生存故事。在下面的节选中，雅各布斯分享了一个感人的故事，讲述了她在一个种族主义社会中如何做一个合法的流浪者，以及和一个善良女人的交谈如何让她恢复对他人信任的故事。

第三十三章　归家

我现在最大的焦虑就是要找到活干。我的健康已经恢复得很好，但只要一多走路，胳膊和双腿就会肿胀，很不方便。对我来说最大的障碍就是，那些雇佣陌生人的雇主需要有人推荐。而我的情况非常特殊，显然不可能从我忠诚服务的那些家庭获得证明。

一天，一个熟人告诉我，有一位太太需要找一名婴儿保姆，我立刻提出了申请。那位太太告诉我，她更希望找一个当过妈妈，习惯于照顾婴儿的人。我告诉她我有两个小孩。她问了我许多问题，不过让我释然的是，她没有要求我前面的雇主出具推荐信。她告诉我，她是一个英国女人，这对我来说是个好消息，因为我听说，他们不像美国人那样对有色人种充满偏见。我们双方同意应该尝试一周时间。双方对试用期非常满意，于是我有了一个月的工作。

神把我带到这个地方，显示出他最大的仁慈。布鲁斯太太是个慈祥温柔的夫人，是一个富有同情心的忠诚朋友。在规定的一个月时间结束之前，我经常需要上下楼梯，因此四肢开始肿胀，痛苦万分，因而没法完成我的职责。许多女人一定会不假思索地把我打发走，但布鲁斯太太吩咐我少走路，并安排一个医生给我检查。我还没有告诉她我是一个逃亡的奴隶。她注意到我经常很伤心，并慈祥地询问我为什么。我告诉她我们母子分离，无法见到我的亲人们。但是我没有告诉她时刻压在我心头的那种不安。我希望能有人倾诉，但是我已经被别人欺骗了无数次，失去了对他们的信任。如果他们对我说好听的话，我认为那一定是为了某种自私的目的。逃离奴隶命运后，我是带着疑虑来到这个家庭的。但是六个月过去了，我发现布鲁斯太太的温柔举止和她可爱婴儿脸上的笑容，融化了我冰冷的心。在与她的智慧谈话中，我闭塞的心灵开始打开，这也是因为我有机会阅读，在完成职责之后就可以惬意地看书。渐渐地，我开始活跃起来，心情也更加舒畅。

先前的那种不安，尤其是对孩子的担心，常常在我充满阳光的心地上投下阴影。布鲁斯太太提出给艾伦一个家，但我不敢接受，害怕这样做会冒犯霍布斯一家。他们知道了我的危险处境，这让他们对我处于优势地位。我觉得应该站在对他们有利的那一方，好好工作，节省开支，这样就会给我的孩子创造一个家。我对艾伦的近况远远不满意。没有人照顾她。她有时会来纽约看我，但总会向我传达霍布斯太太的话，要我给她买一双鞋或者一件衣服。提出这种要求的同时，她还常常允诺，霍布斯太太在海关的工资一发下来就会偿还我，然而不知什么原因，却从来没有还钱。因此，我挣来的许多钱都花在给孩子买舒适的衣服上。不过与我的担心相比，这只是一点小麻烦——我总是担心他们的拮据生活会致使他们卖掉我的宝贝女儿。我知道，他们经常和南方人联系，会有大量的机会这样做。我也曾经声明过，福林特博士把艾伦送到监狱里时，她当时两岁，由于麻疹而眼睛发炎。这个病一直侵扰着她。好心的布鲁斯太太提议，她应该来纽约住一段时间，由艾略特医生给他治疗，他是个有名的眼科医生。一个母亲提出这样的邀请，我觉得这没有什么不合适。但是霍布斯太太非常生气，拒绝让她来。鉴于我的特殊处境，坚持自己的意见是不明智的。我没有再抱怨什么，但心中渴望能够完全获得自由，对我的孩子尽到母亲的责任。我再一次去布鲁克林的时候，霍布斯太太似乎为她生气而表示道歉，告诉我她已经请了自己的医生来给艾伦治眼病，还说她拒绝我的请求，是因为她认为让艾伦到纽约来不安全。我默默地接受了她的解释，但是她还告诉我，我的孩子属于他的女儿。因此我怀疑她的真实意图，是害怕我把她的财产从她身旁夺走。或许我错怪了她，但是我对南方人的了解很难让我有别的想法。

我生命的酒杯里悲喜参半，我很感激的是，我的生命并非完全凄惨的。我爱布鲁斯太太的孩子。当他贴着我的脸哭叫大笑，让他用嫩嫩的小胳膊满怀信任地搂着我的脖子，我总是想到本尼和艾伦还是孩子的时候，此刻我受伤的心便得到一点慰藉。一个阳光明媚的早晨，当我站在窗前，把婴儿从我的胳膊中抛起，我的注意力被一个穿着水手服的年轻人吸引住了，他正在努力地观察每一个经过的房子。我仔细看着他。会不会是我的哥哥威廉姆？一定是他——可是他的变化真大！我把婴儿放稳，飞奔下楼，打开前门，呼喊着他。不到一分钟的时间，我就已经被揽入哥哥的怀中。我们有许多要向彼此讲述。我们因彼此的遭遇而一起大笑，一起痛哭。我把他带到布鲁克林，再一次看到他和艾伦在一起的样子，他曾经是那么爱着、呵护着那个亲爱的孩子，而我则一直把我封闭在自己的悲惨空间中。他在纽约待了一周时间。他对我和艾伦旧日的亲情还是那么的浓烈。再也没有什么能够比同甘共苦形成的联盟更为牢固了。

尖枞之乡

节选

莎拉 · 杰维特

1849—1909

作为美国地域主义的先驱之一，杰维特对当地家庭生活场景的独特关注，使她捕捉到了家庭中凝重的沉默画面和日常的亲密场景。小说家亨利 · 詹姆斯钦佩“她美丽的小成就”。《尖枞之乡》讲述了一个游客到访缅因州的一个村落，见证这里村民亲密关系的故事。杰维特运用与伊丽莎白 · 盖斯凯尔的《克兰福德》相似的地域敏感性，用精湛的笔法描绘了亲密的血缘关系和热忱待客的种种礼仪。现将这部小说的中心章节摘录于此，这一选段揭露了家庭团聚时显露的矛盾和姐妹般的友谊。在孩子们的喧闹之中，大家庭共进一顿热乎乎的晚餐，这个场面，即使是最孤独的人，也会感到兴奋。就像刚获释的俘虏一样，这种热闹的感觉，在家人美好的陪伴下愈发强烈。虽然内向的人可能不喜欢社交场合，但很明显，与大自然和家族的紧密联系，确实在社会和精神上给予他们养分。毕竟，没有人是一座孤岛。

第十八章　勃登家族聚会

在乡村生活中，没有几天是假日或狂欢的日子，因此，能引起众人兴趣的事情，没有一件不是重要的。在新英格兰人的天性中，隐藏着热情的火焰，一旦找到出口，就会像火山般喷发出光热。在宁静的里巷，那内在的激情从不会浪费在属于城市的微不足道的日常躁动中；但是，每过一段较长的时间，在我们熟悉的田野上，爱国之情、友情和亲情的祭坛便会矗立起来，火焰开始燃烧，熊熊大火从永不熄灭的地心喷薄而出，原始的火冲破掩盖我们灵魂的花岗岩灰尘。每一颗心都是温暖的，每一张脸都闪烁着古老的灿烂光辉。这样的日子具有让人焕发光彩的威力，能让那些冷心肠很快交得新友，让寡言的人有表达的机会，让最普通的脸庞增添一些美丽。

"哦，我期待今天能遇到久违的朋友，"布莱克特太太心满意足地说："这么爽朗的天，一定会有许多老伙计露面的。很开心，我从未让他们失望过。"

"我猜你最要好的朋友都会来的，"托德太太瞟了我一眼，心情愉悦地轻声回答道。“有一点是肯定的，在这一带只要有一件事和勃登家族有关系，就不会不引起所有人家的注意。是的，你一定会有这种感觉——当你拜访勃登家族时，你会看到，从停船地一直到后海湾的另一头，所有人家都起身来迎接你。这里的人不是血亲就是姻亲。”

“我小的时候，这里流传着一个老故事，”布莱克特太太神采奕奕地说，“这里原先有很多勃登家族的人，比现在多出许多。一个礼拜天下午，天热得要命，所有人都来到教堂集会。有个在人家当仆人的女孩儿，不知道从街坊什么地方上气不接下气地跑到教堂门口，傻乎乎地喊道，‘勃登小姐，勃登小姐，你家小孩癫痫发作了！’据说，所有集会的人都立刻站了起来，来到过道上。所有勃登小姐都立刻往家里赶，站在讲坛上的牧师试图保持肃穆，却忍不住笑出声来。大伙都说他是个好人。他说他最好给她们做赐福祈祷，下星期再来听布道，于是便做完祷告解散了集会。我母亲也在场，她觉得那孩子一定就是我。”

“我们家族中没有人得过癫痫，”托德太太神情严肃地打断布莱克特说，“不，我们从来没有得过这病，没有任何人得过，我们住在绿岛那边，很幸运。现在，我们眼前这些人，他们都知道，我给老埃文斯小姐晾过猫薄荷和蓍草。从他们的表情就看得出来，都是埃文斯家族的人。您看，妈妈！快看上面路口那里！”她突然大喊。“快看前面的队伍。哦，再往下看，看海湾那边！对，看海湾那里！那边有好多船，真是壮观，所有船都在驶向勃登的小海湾！”

“哦，真漂亮！”布莱克特太太像一个姑娘一样开心地说。她站在高大的马车上，眺望着一切，等她坐下来的时候，又紧紧攥住我的手。

“是不是应该把马赶快一点，阿尔密里？”布莱克特太太问道，“来的路上马儿跑得不累，等到了地方再让它休息吧。别人都赶到前面去了，我一分钟都不想耽搁。”

在顺着山路前行途中，我们看到那些船陆陆续续落帆靠岸。勃登家的老房子是座矮楼，屋顶很宽，矗立在绿油油的田野中，仿佛一只慈爱的褐色母鸡，在等着散食的鸡群从四面八方回到身旁。勃登家族的第一个移民就在这里安家落户，这里依然是勃登家族的农场，五代的水手、农民和士兵，都是其子孙。布莱克特太太随即指着小山丘上的一片墓地让我看，那墓地石墙环绕，就像一座小城堡俯视着海湾。老太太说，勃登家族许多人并没有安葬于此，他们有的葬身海底，有的客死西部，还有的殉身战场，因此这里的家族坟墓安葬的大多是女人。

顺着海岸线，穿过乡间，我们看到许多小径，路上三五成群地有人行进着，他们排成一行，就像《天路历程》中的老插画一样。房子四周有许多人，仿佛一群大蜜蜂一样像聚集在丁香丛中。在田野和海湾的远处，矗立着一块高地，延伸进海湾，高地上森林密布，冬日寒冷的西北风一定被它们拒之门外。如今这里看上去浓荫蔽日，十分惬意，是家庭聚会的理想地点。

我们开始感觉仿佛已经迟到许久，便加快速度匆忙赶路。终于，我们离开了石路拐进一条由老苹果树夹着的林荫小道，这才感到满意。托德太太吆喝着马儿，直到它欢快地昂头跑起来，绕到了房子前面柔软的草地上。立刻有人欣喜地喊出声来，两三个人从忙碌的人群中跑过来迎接我们。“啊！亲爱的布莱克特小姐——布莱克特小姐来了！”我听到他们喊，仿佛看到布莱克特太太就是这一天最大的快乐，托德太太转向我，脸上露出喜悦、忘我的可爱神情。一位像船长一样意气风发的年迈老人张开双臂将布莱克特太太抱下马车，仿佛她还是个小孩子，然后慈爱地亲吻了她。“我还担心她不会来呢，”他看着托德太太说道，面庞晒得黝黑，像一个快乐的学童，此时人们已经前后簇拥着布莱克特太太，向她表示欢迎。

“母亲到哪儿都是女王待遇。”托德太太说。“对，他们会对母亲竭诚尽力，她今天会很过得很开心。我不能让母亲错过这样的好日子，将来她也不会有任何遗憾。只是威廉不在，这会让她有一些伤感。”

按规矩，布莱克特太太被请进了房内，托德太太也未被怠慢，受到了礼遇。还有几位男士友善地招待我们，表现出地道的骑士风度，他们候在车篮旁扶我们下车，然后将白马牵走。我早就认识托德太太的几位亲朋好友。在这个欢聚的时刻，我感觉自己就像加入勃登家族的新成员。对所有与布莱克特太太一样乘马车来到这里的人来说，这一切似乎再满意不过。布莱克特太太一到，房子里立刻就聚满了人；而身材高大、友善热情、举足轻重的托德太太迅速成为聚集在丁香花丛旁人群的中心。一小伙一小伙的人陆陆续续从岸边爬上绿茵茵的长坡到这里相聚，几乎所有的船只都已靠岸。我数了数水面的船，有三四条因轻风受阻，但很快，勃登家族所有的成员，不论老幼，好像都已聚齐，然后我们开始一起穿过田地，走向丛林地。

人群叽叽喳喳地交谈着，小孩子嬉戏打闹，腰围粗大的女人们身穿最讲究的黑裙，裙摆垂地能打好几层褶，皮肤晒得黝黑的男士们看上去一脸严肃，仿佛在举行镇上的议事会。突然间，人们安静下来，秩序井然。我看到了一位男子，身材笔挺，个子不高，像一位士兵，长得颇有点与布莱克特太太相仿，他似乎在率领我们前行，神情十分镇定。他的威严不容违抗，但其中也显露出一丝军人特有的庄严礼节，这庄重的神情给予他一种不容忽视的尊严。我们遵照这位男士的清晰意图分列而立，静静地站着一言不语，就像一支军队等候他下达指令。就连孩子们也跟着一起行进，形成一群可爱的队列。最后，布莱克特太太偕同几个尊贵的伴侣，还有牧师和一些长者，都走出房子加入队伍。我们四人一排，但队伍看起来依然很长。

草地上有一条宽道，是专门为我们清除出来的。在我们沿路前行时，蜜蜂嗡嗡飞舞，鸟儿从已是第二季的三叶草丛中惊起，仿佛依然是六月光景。白色的海鸥掠过海面，海湾上泛着细浪，船队御波而行，那一根根小桅杆晃动着，仿佛和着我们前进的节拍。水声从远处隐约可闻。在上面的小树林中，我们就像一群庆祝胜利或祭祀丰收之神的古希腊人。目睹这一景象，你会为之所动，并加入其中。蓝天和大海久久注视举行着仪式的可怜人类，我们不再是某个新英格兰家族，我们欢庆的不只是自身的存在与朴素的进步。我们继承了所有象征和遗产，它们来自家家户户，代代相传，直至今天。我们只是最近的传人。我们拥有遥远的、被遗忘的孩童本能；我觉得我们应该手持绿枝，边唱边行。就这样，我们悄无声息地来到浓荫蔽日的树丛中，在高大挺拔、随风齐曳的树底坐下。斑驳的阳光透过树叶，这儿一片，那儿一片，仿佛金色的叶子飘然而下，渐渐消失在阴凉之中。

在开阔的田野上，宽阔的树丛让整个大家庭显得更加渺小。树丛中有一簇茂密的、黑幽幽的松树和云杉，其间有零星松树或橡树点缀，那色彩犹如巨大的屋顶开启了一扇明亮的窗户。我们身处的地方三面环水，粼粼波光在树干后面闪耀。当一日中最热的时刻来临时，我们可以感到那满是盐味的、凉爽的微风随潮而升。我们看到，刚刚路过的绿色田野上洒满了阳光。我们看着这金色的田野，仿佛是从一间暗室向外观看一般。老房子和四周的紫丁香静立于阳光之中，巨大的谷仓前停着一排排马车。两三个马车护卫一直在周围徘徊，此刻正穿过草地朝我们走来。托德太太早已脱下了温暖的手套欣赏这美丽的风景。

“快看那边！”她突然喊道，“我一直想让你看看这个地方，可一直没有找到如此好的机会。这天气和时机真是绝配啊。是的，这对我来说可是绝佳美景，我别无他求了。我只想问你，有没有看到我母亲走在最前面的样子？看到她和牧师们并排而行，走在前面，我简直不知道该怎样表达。”托德太太转过身去，想要掩饰自己一时无法抑制的心情。

“那个带头的人是谁？”我紧接着问道，“他是个老兵吗？”

“他做得不够出色吗？”托德太太满意地回答。

“他很少有这样的机会可以炫耀自己的才能，”卡普林太太说道，她是来自停船地的一位朋友，刚加入我们的队伍。“那人是桑特·勃登，这样的场合他总是领头。多半时间不中用。问题是，他——”

我转过身，兴致勃勃地想听听他最糟糕的地方是什么。卡普林太太的语气热情而生动。

“他酗酒成瘾。”她轻蔑地说。

“对，桑特·勃登从没打过仗。”托德太太满不在乎地说，“这是让他真正苦恼的缘由。他争着吵着要当兵入伍，四处奔走，甚至坐船赶到波士顿自愿请求入伍。可是他身体不行，人家不要他。大伙都说他懂得所有的战术，把滑铁卢战役讲得头头是道，邦克山的战役也滚瓜烂熟。有一次我还对他说，我们国家少了一个大将军。我说的可是真心话。”

“希望你说的没错，”卡普林太太有点丧气，带着一种歉意说。

“我说的当然没错。”托德太太友好地坚持自己的意见。“最糟糕的是，他别无他法，最终选择了个稳妥的职业。不过，他当鞋匠还是很出色的，他也总是说，这个职业当让他有时间思考和谋划未来。在港口的阵亡将士纪念日的时候，人们总是邀请他到海港参加游行。他看起来很高贵，天生就是军人的料。”

在这个乡间聚会的人群中，法国人模样的面孔占据多数。我一直饶有兴致地注视着那些令我感到好奇的法国面孔。我之前就说过，布莱克特太太明显具有法国血统，无论外表和还是她那迷人的天赋都是如此。新英格兰北部沿岸的早期的移民有很大一部分都有胡格诺派血统，那些来到这里开辟新世界的英格兰人先驱不是撒克逊人，而是诺曼人的后裔。如果知道这一点，你也就不会感到惊讶了。

“过去，人们常说，”托德太太谦逊地说道，“我们家族祖上是法国上层社会中的人士，有位先辈是个伟大的将军，参加很多历史性的战役。我有时觉得，桑特的才能就是从那时遗传来的。这可不是他学来的本事，而是天生就有这样的才能。我不知道他是否看到过大阅兵，或是遇到过研究这些事物的人。他把一切都琢磨透了，还获得各种证书。他知道如何用大炮瞄准五英里以外绿岛上威廉的渔场，或是瞄准有信号指示的燃烧岛。有一天他讲这些给我听，我努力假装很感兴趣。他全身心都投入到这上面去了。不过，他有的时候也难免有不开心的时候，就只能借酒浇愁。”

卡普林太太长叹了一声。

“有不少这样的人没能走上正轨，就像长弯的植物一样，”托德太太接着说道。别的不说，她植物方面可是最在行的。“我知道有一种月桂，只长在这里的荒地上，在这个海岸我还没有听说过有别的品种。以前有人从马萨诸塞州给我带回过一大束月桂枝，因此我有所了解。这个品种长在开阔地，你会以为它长得很好，但并不怎么样。我时常会去看花，每次只能看到些可怜兮兮的花儿。桑特·勃登是真材实货，只是未得其所而已。”

卡普林太太看上去一脸迷惑，茫然不知所措。“嗯，据我所知，去年他就制定了一个计划，准备在县上集会时组织小队方阵游行。结果让所有人一头雾水，搞不懂他脑子里空阔的广场是什么样子。”卡普林太太脱口说道。“他们的确空着肚子从北边骑马，来到充满盐味的海边，还参加了一场关于信仰的布道会，而柯费瑟尔·哈尔罗神父一直喋喋不休，讲个没完。所以，当时没有时间考虑战术——他们当时没有考虑教堂会用什么军事策略。桑特拿他们也没有办法。当他见到一群人时，唯一能想的就是怎么组织他们游行。只要他不尝试新门道，结果都会不错，可他从不像常人那样办事。”

“我一直想说的就是，他与众不同。不是吗？”托德太太坚定地说道。“我就觉得，怪人有怪法。”

“有人曾说，在我们的教区里，环顾四周，你会发现几乎每个人都像外国人一样与众不同。”卡普林修女脸上突然一亮，继续道，“我还真没有注意到这点，真的很明显呢。我一直都觉得玛丽·哈莉丝很像个中国丫头。”

“我记得玛丽·哈莉丝小时候很可爱”，布莱克特太太悦耳的声音传了进来。在几乎所有来宾都和她热情打过招呼后，布莱克特太太加入了我们的队伍——按她所说的，她要来看着我们，以免有人拿我们恶作剧。

“是啊，玛丽也曾是一个可爱的小羊羔，长大后反而成了一只平平常常的老绵羊。”托德太太爽气地说，“如果玛丽是个会打点的人，利特尔佩奇船长就不会那么惨了。她或许可以让他开心，对，就是让那位老先生开心，让他认为一切都按他的意愿来办，而不是每件事都争个你死我活。坐下来听一听他的传奇故事，不会对她有什么害处的。”

“都是很有趣的故事呢。”我斗胆插了一句。

“没错，你总会自己不知不觉地想，要是这一切都是真的会怎样，他也有权利这样想啊。”托德太太说道，“他有见识，虽然喜欢空想，但比起玛丽·哈莉丝这样的鬼家伙来说，他适合做人的朋友。”

“我不常参加聚会，因此好久没有没见到船长了”。她有点伤感地补充道，“我们一直很了解彼此。”

“噢，如果明天天气好，我就让威廉去请船长过来吃饭。威廉会早早出发，穿过街道，免得碰到别人。”

“瞧瞧，他们俩已经开始喊该摆桌吃饭了。”卡普琳太太兴奋不已地说。

“这不是沙拉·布莱克特表妹吗？哎呀，我真的太开心了！”托德太太大声喊道，她毫不掩饰自己的兴奋。热情的人无论相逢还是再见，都会相约日后定要畅谈一番。在这之后，人们不再有谈话的时间，直到我们在长长的餐桌旁落座之后。

“我这个人总怕在这样的场合碰到自己不喜欢的人。”托德太太斟酌良久后，悄悄对我说道。我们正在等待宴会开始。“你想象不到，像我这样一个很大度的人会感到如芒在背。记得有一次，我向内森保证，无论感觉多么糟糕，都会尽力让自己开心。可是，我接受内森的一个表妹作为我今生的亲戚，我几乎连死的心都有了。可怜的内森发现我有点不高兴——他的感觉很细腻——便问我怎么回事。我告诉了他原因。‘我自己也不会喜欢她的，’他说。‘别太在意这个，亲爱的。’他说道，内森的这番话让我倍感温暖，他不像别的男人那样总习惯唱反调。‘是的，’我说，‘但是，想想我们一起度过的感恩节和一起参加的葬礼，她毕竟是我们的亲人，我们得接纳她。’可年轻人不会这么想。她要过来了，但愿她只是路过！”托德太太说着说着，就从一般的品头论足转变为敌对态度，这让我颇感吃惊。“我讨厌她，就像以前那样。不过她今天裙子还真漂亮。我却是一直在提醒自己她是内森的表妹。喔，亲爱的，她终于还是走过去了，也没有看到我。我还以为她过来到处跟人寒暄显摆，然后就说她认识了所有人。”

平日里，托德太太宽宏大度，此刻却判若两人，这让我一时感到不适应。不过，笼罩她心头的乌云很快散去了，随着那惹他不悦的人离开，消失殆尽。

在海滨一带举办过的许多户外宴会中，从来没有比勃登家族这天的聚会更盛大的了。若称之为野餐，似乎让它显得微不足道。餐桌边角装饰着美丽的橡树叶，都是少男少女亲手布置。我们从野地灌木丛中摘下鲜花带到这里。散放的鲜花和食物刹那间就收拾得井井有条，摆放在宴席上，就像司令官组织的游行计划一样井然有序。勃登家族代代相传的优秀品位与才能，以及那种令人愉悦的礼仪的天分，都让我产生由衷的敬意。这些使得他们无论做什么都比大多数乡下人细致周全。我仔细观察餐桌上的人们，他们时而开怀畅言，时而肃穆清醒地谈笑，礼仪谦逊而又不失尊严。其中也有名不副实的人，他们理应位列下席，但这些人毕竟为数不多。因此，我自语，中世纪时他们的祖先一定曾于古老的法国殿堂之上危坐，那时战斗、围城、列队与宴庆对他们而言都司空见惯。牧师和布莱克特太太，以及几位地位与年龄相仿的人，都在尊贵的上席落座。只要我朝其他宾客看上一眼，就会再一次回视布莱克特太太。她的面庞神情安详，深谙权力与职责之重，她是今天这盛大场合最名正言顺的女主人。

托德太太抬起头看着绿树的树冠，若有所思地环视四周的人群。“他们全部落座了，这样我就看得比刚才更清楚些。”她满意地说，“那边是老吉尔布雷斯先生和他妹妹，我希望他们和我们坐在一起。他们没能和聊得来的人坐在一起，看起来挺失望。”

随着盛宴的继续，我朋友的精神振奋起来。这场盛会效果出乎意料，让人兴奋，而这给她的性情带来一种微妙的刺激。我能看到，托德太太有时显得拘谨，十分小家子气，由于气氛环境的不适宜，就变得懒散起来。然而此刻，她并没有那么伤感，而是满怀期待，机敏而欢快，宛如一个小女孩，就连与她相邻而坐的我们也充满了喜悦与欢乐，这欢乐是从她微笑的面庞反射回的光芒。我不止一次充满惊奇，感叹人类在这世上荒废的才华，就像植物学家惋惜大自然被挥霍一般，成千上万的种子死去，暴殄天物的现象随处可见。社会的潜在力量令人惊异，不可想象。在勃登家族的人中，有不止一张脸显示，我们缺乏的是机会和刺激——拘束的环境犹如牢笼，禁锢着贤能之士，将他俘虏。在乡村的聚会上，如同最盛大的城市聚会一样，我们能见到同样类型的人们。如果你言谈的精髓与邻居和他人一样是一致的，那么你就很容易被人们理解。

友谊的堕落

塞缪尔 · 约翰逊

1709—1784

约翰逊多产的作品形式迥异，包括新闻（他创办了《漫步者》杂志）、诗歌、戏剧、传记（《英国诗人的生平》）、浪漫诗（《阿比西尼亚王子》《拉塞拉斯的历史》）、记录（《议会辩论》，他当代政治演讲的概要）。他的敏锐和诗意的精准受到了几代评论家的赞扬，T. S. 艾略特钦佩“他每次都能准确地击中靶心”。约翰逊的词典开始编纂于 1747 年，1755 年出版，它规定了发音，定义了超过 4 万个单词，在两个世纪后的《牛津英语词典》出版之前，一直是一本无与伦比的参考书。他的朋友托马斯·戴维斯在考文特花园书店与苏格兰人詹姆斯·博斯韦尔有过关键性的第一次会面，后者后来成为他的传记作者，在他的日记中记录下了约翰逊的谈话和个人的机智风趣，使得他的文学成就广为人知。在接下来的节选片段中，约翰逊反思了友谊堕落的原因，指出真正的朋友很少，如果不让关系恶化到让彼此取悦的欲望消失，那么利益冲突、猜疑和愤怒是可以克服的。

人生中没有什么乐趣能比友情更高贵了。试想一下，这种崇高的享受可能会因无数原因遭到损害或破坏，人们能够享有友谊的时间也更不确定，这会多么令人痛苦！

许多人用崇高的语言赞颂友情的永久，赞颂其忠贞不渝与亲密无间的品质。我们也曾见到过这样的例子——有些人能够在择友上从一而终，虽经历多舛的命运，却始终矢志不渝，也不惧怕人们的品头论足。

但是，这样的例子之所以令人难以忘却，是因为这种友谊少之又少。对普通人而言，他们所能期望和实践的友谊，只能在共同的乐趣中生根，也必然在两情相悦的快乐枯竭之时结束。

因此，会有许多意想不到的事发生，使友善的热情衰减，而不至于演化为任何一方罪恶的卑鄙或可鄙的背叛。我们并不总能让人快乐，那些自以为总能够收获快乐的人，也并不总是了解自我。

那些如影相随，每日相伴的人，会因不同的事业而分道扬镳；而友情就像爱情一样，尽管在短暂的期间可以变得更加醇厚，长久缺席却会遭到破坏。有些东西，我们失去已久并希望找回，而一旦重得，就会更加珍视；但是，还有些东西，我们早已遗失并将其忘却，最终重逢却百般的不情愿，抑或发现其位置已被替代，将更加不情愿。一个人失去了往日里与之开怀畅谈，共度美好闲暇时光的伴侣，便会觉得岁月沉沉，度日如年；各种挫折压迫他，重重疑虑使他不能集中精力；他看着时间来了又走了，却不能得到往日那惬意的感觉，陪伴他左右的只有内心的伤感和孤独。但是这种不适不会持续太久；只要有必要就会有办法，于是我们会发现新欢，获得新交。

一想到与久违的老友相聚，内心就会有一种期待油然而生；然而没有什么比这种期待更频繁地令人感到失望了。我们希望彼此的投契能够获得重生，期望友谊的联盟得以延续；然而，没有人想到岁月已在他身上做出了多少改变，也很少有人关注到时光在他人身上造成了多大影响。重逢的第一小时就让他们相信，先前的那种快意已经永远结束了；时过境迁，两个人的想法都发生了改变；让他们相互赞赏的礼仪和性情的投契也都不复存在。

破坏友情的常常是兴趣的对立，这种对立不仅仅指追求财富和地位的欲望所滋生并维持的那种对重大、实在利益的追求，而且指人与人之间千百种毫不起眼的、暗地中的较量。这种较量很少能引起意识的察觉。任何人都会有一些小小的癖好，他对它的珍视超过了对更伟大成就的重视，并希望得到他人的些许赞誉，但却不能容忍它受到诋毁。有的时候，精密谋划的雄心壮志，在告与人知之前就已经遭遇挫折；有的时候，任性的发作则将之摧毁；这些情况很少不会造成友谊的损失，因为那个找到弱点的人总是让人心生顾忌，于是仇恨便在暗中燃烧起来，羞耻则阻止我们去发现这仇恨。

然而这是一种慢性的恶意，聪明的人会规避它，将它与平和的心态区别开来；品质优秀的人会抑制它，视之为对美德的背叛；然而人类的幸福往往被一些突来的打击而破坏。

前一分钟双方还认为无关紧要的事，在后一分钟就会从玩笑演化成争执，并在争强好胜的欲望的推动下继续升级，直至虚荣变成熊熊怒火，意见不同恶化成誓不两立。对于这种猝然而生的恶意，我不知道该怎样加以安全防范。有的时候，人们常常为彼此间的争吵而感到惊讶，而当吵闹声消退，双方急于寻求和解，却发现他们的心灵再也不会融洽相处，而此时却能够很快抑制不满，或即刻拥有甜美的和平，将冲突的伤害忘得一干二净。

友谊还有其他的敌人。猜忌总是让谨慎的人无情，厌恶会排斥心灵脆弱的人。小小的分歧有时会使相敬如宾、互助互惠的朋友分道扬镳。孤独与无爱退隐乡间，相互为伴，但六周之后却冰冷如霜地彼此分开。孤独的乐趣是漫步田间，无爱的喜好则是在花荫中乘凉；两人也曾相互妥协，但每个人都因为让步太大而心生怒气。

友谊最致命的疾病是它的逐渐堕落，或因种种不值一提的原因而不断恶化积重难返的厌恶。愤怒的人可以和解，受伤的人可以得到赔偿，但两情相悦的愿望却永远不复存在了，友情的修复也失去了希望，就像生命的力量减退，任何医生的救治也将无济于事。

摘自《闲谈者》，1758 年 9 月 23 日，星期六

扎米：我名字的新拼法

节选

奥德尔 · 洛德

1934—1992

20 世纪 60 年代，洛德成为替女性和外来者发声的喉舌，这些人的声音在社会上没有真正被听到，更不用说被主流文化听到。她告诉他们，大声说出来，因为“你的沉默不会保护你”。洛德以其女权主义理论、泛非主义、演讲和诗歌而闻名，她大胆地提出了政治、种族和性禁忌等问题。她的作品使人们关注贫穷、黑人和第三世界女性，讲述他们的故事，要求人们不仅仅给予他们宽容。通过相互促进，建立跨种族的友谊，以及她所说的“跨越差异的会面”。她相信，人们会发现集体的力量。集体将带来自我实现和解放。《扎米：我名字的新拼法》书名来源于加勒比法语表示中女同性恋者的单词“les amies”。这本书是一个关于西印度群岛女孩成年的里程碑式作品。在本书史诗般的叙事中，交织着历史、传记及神话要素。在这里的节选段落中，叙述者描述了她发现同为被排挤的姐妹的喜悦。

高中的时候，我最要好的朋友是“烙印小组”。我们这些有反叛精神的姐妹们常常这样自称。我们从来不谈能让我们产生隔阂的分歧话题，只谈那些能够让我们联合起来对付他人的话题。我和我的朋友谈论谁学德语或法语，谁会跳摆臀舞，谁和男孩子约会，谁是“激进派”。我们谈论的话题甚至还包括，作为女人，我们在男人统治的世界里占有怎样的地位。

但是我们从来不讨论做个白人和黑人是什么样的感觉，也不讨论这对我们做朋友有什么影响。当然，凡有点理智的人都反对种族歧视，理论上如此，也无须讨论。我们可以通过忽略而战胜它。

我成长在这样一个封闭的世界里，很难不把差异视作威胁，因为差异往往就是威胁。但是，有些时候，我几乎疯狂地相信，我身上一定哪里出了毛病，在我和其他白人朋友间造成了一道看不见的障碍。是什么阻止人们不邀请我到他们家，参加聚会或者到消夏房去过周末？难道是他们的母亲不喜欢他们交朋友，就像我母亲不喜欢交友一样吗？他们的母亲有没有告诫他们绝对不要相信陌生人？但是他们却相互串门。既然我唯一不能清晰看到的地方就是眼睛的后方，显然有问题的人是我自己。对种族歧视，我无话可说。

我们是“烙印小组”，是疯狂的边缘人。我们为自己的无所不做和疯狂而骄傲，为我们各种奇奇怪怪颜色的墨汁和羽毛笔而骄傲。我们学会了怎样嘲笑那些规规矩矩的孩子，学会了怎样煽动我们的小团体迫害感，把它变成一种自我保护的本能，并总是让我们的把戏适可而止，避免被学校开除。我们写晦涩朦胧的诗歌，将我们的怪异视为胡作非为的宝贵的战利品。在这个过程中，我们懂得痛苦和被人拒绝会带来伤害，但是这些痛苦并不是致命的，甚至正因为不能避免痛苦，还会大有裨益。我们懂得没有感情要比伤害更严重。那个时候我们做得最优秀的地方就是忍受痛苦。我们之所以成为烙印小组，就是因为我们学会了怎样不辱其名。

在高中的四年里，我的收获是那么贫瘠，但对我后来的生存却无比重要。回想那段时光，我仿佛在看着自己的老照片，在监狱的劳改营里，从垃圾堆里翻找食物，没有那垃圾，我将会饿死。学校的职工中不知有多少人有根深蒂固的种族歧视，也包括那些处在豆蔻年华的我暗中爱慕的人。我知道我欠缺的还很多，但是与此相比，在人与人的沟通中，我获得的如此贫乏。

高中的时候，我开始相信我与班上的白人同学不同，并不是因为我是黑人，而是因为我是我。

这四年，亨顿高中成为我生命中最重要的部分。不管现实怎样，在这里，我都得到了我之所需。在这里，我第一次与我年龄相同的女孩相识，我们不论肤色黑白，说着相同的语言，这语言是我能够理解并能用它回答他人的语言。在这里，我遇到了能够无所顾虑地分享情感、梦想与思想的女孩。我遇到了能够容忍我的思想和情感，而不会因为我的无理而惩罚我的大人们，他们中甚至还有些人对我的思想的情感表示尊重与钦佩。

写诗成为一项日常的事，而不是一个秘密或者反叛的恶。亨顿高中的其他写诗的女孩也没有邀请我到他们家做客，但她们却推选我为学校艺术杂志的文学编辑。

论友谊

米歇尔·德·蒙田

1533—1592

蒙田是法国贵族、法律顾问、文艺复兴时期波尔多市的市长。不过，他的名声或多或少建立在他发明了现代散文这个事实上。正如法语单词 essai（意思是“尝试”）所示，这种写作形式旨在提出想法和观点供人讨论。蒙田曾在他的个人奖章上刻上“我知道什么？”，另一面则刻上“克制”二字。这种写作形式，对于像蒙田这样一个怀疑论者，是最合适不过的方法了。这本书收录的蒙田关于友谊的文章，其对象是一位年长的法官，名叫艾蒂安·德·拉·波埃西，蒙田与这位法官有着超越爱情的纽带。构成这对友人间不同寻常的亲密关系的基础，包括坦诚沟通、相互容忍、彼此信赖和美好的道德支持。尽管蒙田对德·拉·波埃西的理想化得益于文艺复兴和古典文学传统，但对于“酷儿”读者来说，这篇文章给人一种似曾相识的感觉。奥斯卡·王尔德在1895年因严重猥亵罪受审时，将这种友谊作为“不敢说出名字的爱”的一个例子。

在思考了一位为我画像的画家的方法后，我产生了模仿他的念头。他选择画板或墙壁中间的最佳处作画，运用最精湛的艺术手段完成作品，并在四周的空白处画满了奇异的图像，这些图像千奇百怪，形状各异，给肖像增添了不少情趣。而我在这里随意写出的东西又是什么呢？不还是一些由不同部件组成的怪诞不经的躯体吗？它们没有确定的形状，无论是次序、整体和比例，皆无定数。

在这第二部分，我和画家可谓携手并进，但在第一部分，也就是那块精华部分里，我不可企及，因为我的功力不及他，不敢造次去尝试那样精美、高雅的艺术画。因此我曾考虑借用艾蒂安·德·拉·波埃西的一个作品，这样会让我其余的作品增辉添色。那作品是一篇评论文，名曰《自愿为奴》，不过后来那些不知道他的人给文章取了另一个标题《反独裁者》，这再合适不过了。年轻气盛的他用写文章来歌颂自由，抨击专制。这篇文章后来也被许多有识之士广为传阅，备受推崇。他的文章也写得言辞犀利，无懈可击。

不过，可以非常确定地说，这个作品远远不能展现出他的实力。我有幸认识他，是在他画风更为成熟的年龄。如果那时的他能像我一样有心把自己的想法写出来，我们或许就可以读到许多举世佳作，这些作品会和古人的精华相差无几，甚至与之媲美。因为在天赋方面，我还不认识任何人能和他相提并论。然而他并没有什么遗世之作，只有这一篇论文（我也是因一次偶然机会才得到这篇论文，而且我相信，稿子他一脱手，可能就不知其去向了。）此外，他还写有一些观察笔记，内容针对的是因内战而闻名的元月敕令，这些稿子或许今后流向何处也不得而知。这些是我从他的遗物中整理出来的所有稿子。此刻，我充满深情地回想到他躺在病榻上的情形。他立下遗嘱，把他的藏书和稿子都馈赠给了我，除了这一本我已经准备付梓的小册子。我对他的这部文集尤为感激，因为是它让我与他首次相识。在命运安排我与他谋面之前，我早已见到过这本书，是这书让我第一次听说他的名字，也是这书奠定了我们的友谊之基，并将之发扬光大，接受上帝的垂爱，直到他将我们分开。我们的友情是如此完美，如此纯洁和完整，相比任何传奇都绝无仅有。当世之时，人与人之间看不到任何这种友情的迹象和痕迹。建立这样的友情需要心心相印，机缘罕见之至，为三百年所不可得有。

我们的交往乃似本性使然，这实属平常之事。亚里士多德说，公正的立法者尊重正义，但更尊重友谊。尽善尽美的交往就是友谊。这是因为，享乐、福利、公私利益所创造和滋养的都不比友谊更美丽、更慷慨。友谊一旦掺杂了其他原因、目的和得失，就不再是地道的友谊了。自古以来的四种情谊，即血缘之亲、社交之情、待客之诚和男女之爱，无论是单列还是合并，都无法达到这真正而完美的友情。

子女对父母之情当属尊敬，友情靠沟通获取养分，而父母与子女之间的差异巨大，不可能存在友谊，否则会妨碍履行天赋职责。这是因为，并非父亲的所有秘密都适于向子女倾诉，不然二者之间会因狎昵而有失体统。朋友间的首要职责是劝诫和规谏，儿子向父亲这样做却是有失辈分。在一些国家存在子女杀掉父亲的习俗，有些国家父亲可以杀掉子女，以避免彼此成为生命的障碍。自然而然，一个人的希望就建立在另一个人的毁灭之上。

兄弟这个称呼的确动听悦耳。正是出于这个原因，我们和他人可以称兄道弟，但是，利益的掺杂、家产的分割、财富的不均会使同胞之情松懈瓦解。兄弟在同一条道上争财夺利，携手并进是不可能的事，他们只会相互推搡，阻碍对方。再者，礼仪、才赋和情趣的相投会生出真正完美的友情，又何必出现在子女、手足之间呢？父子之间可能性情恰恰相背，兄弟之间亦是如此——他是我的儿子，他是我的兄弟；可是他脾气暴躁，天性乖戾，愚笨驽劣 。再者，在这些人之间的联谊之中，法律和天然职责不可逃避，因而意志和选择的自由也就少很多。然而，对自由意志来说，最合适、最直接的结果就是友爱深情。并不是说我在这方面没有亲身体验到一切可能有的感情，因为我也拥有一个最慈爱、最宽容的父亲。他对我的宽容与慈爱一直保持到风烛残年。他自己也出身于一个孝悌之家，保持了世代美名。

尽管友情出自自我选择，但我们在此并不能把它与男女之情相比，更不能与其他情感相提并论。“那不曾相识的女神，将我的爱火与温情的痛楚聚集在一身”[出自卡图鲁斯的作品]。这种激情的火焰更加旺盛、更加急切，更加炽烈，却更加短暂，它摇曳不定，飘忽无常，就像发热感冒一样间歇发作，如肌肉痉挛一样无法控制，却只是侵袭到我们的某一部分。而在友谊中，这团火却是全身心的，无处不在。它温和而平等，那火热永不消散，总是温柔平和，而不会狂暴无情。再者，在爱情中，从我们身上逃遁的是那疯狂的欲望："正如猎人追逐野兔，不论严寒酷暑，翻山越岭，一旦得手便不再在意，只从追逐逃脱猎物中获得快乐"[出自阿里奥斯托的作品]，因此一旦它与达成友情提出的条件，也就是在欲望上形成一致，便会消失得无影无踪，其结果将会摧毁这情感，因为它只有肉体的欲望，这种欲望总是要求得到满足。相反，友情的享有必须与期望相符，友情靠双方的欣赏生长，获取养分，并臻于完美。这是一种精神的情感，灵魂在实践中不断成长净化。在这完美的友情中，在我年轻的年代，也曾有其他转瞬即逝的情感在我心中逗留，更不用说拉·波埃西，他在诗篇中已经做出太多的表白。因此这两种激情我都曾拥有，但我能够把它们辨别开来，从不将二者相比。前者在高空中翱翔，高傲地俯视一切，目睹后者谦恭地在他脚下的高度滑行。

至于婚姻，那是一场契约。进入契约的道路是自由的，但契约的延续却具有强制性，受到义务约束，除了我们的自由意志以外，它还需要彼此的依赖。这一交易拥有其他意图，有成千上万纷繁复杂的结需要解开，它们足以挣断连接双方的丝线，搅乱那鲜活的情感洋流。然而，友谊不需要和其他任何事物讲究交易的利益和途径，而只需要它自身。而且，实话实说，女人们才智平庸不足以维系这神圣的关系，因为它要求双方的交流与沟通。她们似乎也不具备那种矢志不渝的精神，维系那牢固的套与持久的结。毫无疑问，如果没有了这样东西。还能够自由、自愿地建立一种亲密契约关系，不仅灵魂可以享受所有结晶，身体也可以修盟合约，一个人全身心地投入其中，那么友谊将更加充实，更加完美。 然而还没有例子能够证明女性可以达到这种完美。按照古代哲学流派的共识，女性也全被排斥在外。

现在，我要回过头来公正客观地描绘一下友情。“只有经过判断力和时间证明和巩固的才是真正的友谊”[出自西塞罗的作品]。除此之外，我们日常所称的朋友和友谊不过是人与人的相识和熟悉，要么是偶然结识，要么是另有所图。只不过在我们彼此的沟通中心灵偶尔有所交流罢了。但是在我说的这种友谊中，人们你来我往，共同工作，融为一体，他们的融合是那么的普遍，彼此的结合不见任何缝隙。如果有人非要请我说说为什么我爱他，我会发现我无法回答，除非像下面这样说：因为是他，因为是我。除了我能够表达的这些，我不知道是哪些不可言说、命运中冥冥注定的力量带来这种情感联盟。早在相遇之前，我们就已经在寻找彼此。我们从关于彼此的传闻中了解对方的品格，凭借理智，我们对彼此的情感产生了作用，远远超过传闻的力量。我认为，这是上天的冥冥安排。我们倾慕对方的美名，在城市里某次偶然的娱乐活动中初次见面，相互拥抱。我们发现，我们如此迷恋对方，如此熟悉，如此亲密地接近彼此，因而从那一时刻起，再没有别的事物比我们俩更亲密了。他写过一篇绝佳的拉丁语讽刺文，已经出版。在文章里，他解释了我们俩匆匆相识，友情迅速变得完美无瑕的原因。他说，我们相识甚晚，因此天意注定我们的友谊将会非常短暂（我们两人都已经是成人，他比我年长几岁），所剩时间不多，我们也不必循规蹈矩地模仿那些缓慢发展的常规友谊，那种友谊要求双方长时间小心翼翼的交谈才能熟悉彼此。我们的这种友谊自成一格，除了自身，不会容纳其他内容，它只涉及自身。它不需要考虑某一种特殊因素，也不是两种、三种、四种、一千种。它是以上所有精髓的混合——很难说这精髓究竟是什么——它俘获了我的全部意志，并带着它全身心地投入他的意志之中，而在俘获了他的意志之后，又以平等的投契和意愿，带着它投入并消失在我的意志之中。我所说的是真正的消失，对我们自己毫无保留，不分你我。

罗马执政官对提比略·格拉库斯宣判之后，又控告所有与他亲近的人。来里乌斯当着执政官的面，走到凯厄斯·布莱修斯面前，问他最重要的朋友是谁，他会为朋友做什么。布莱修斯回答道:“任何事!”“什么？任何事?”来里乌斯说，“假如他命令你放火烧掉我们的神庙呢?”“他绝不会命令我做这样的事,”布莱修斯回答。“万一呢?”来里乌斯问道。“我一定会服从他的命令的。”

他回答。即便他真如史书上那样记载，是格拉库斯完美的朋友，也完全没有必要这样大胆坦言，从而冒犯执政官，他也还是可以保留对格拉库斯的意图的肯定。然而，那些指责他的回答就是煽动暴乱的人，并没有领会这友谊的奥秘，也不会料想他对格拉库斯的意图胸有成竹（事实就是如此）是借助两种力量，一是朋友的力量，二是对其个人的完全了解。在他们之间，朋友关系高于公民身份。他们并非代表国家利益的朋友或敌人，也并非共商大计或出谋划策的朋友。他们将自身完全交付给了对方，彼此都能完全支配对方的意愿。让这一切都由品德来指引，由理智来执行（没有它是不可能的），布莱修斯就会如实作答了。如果他们的行为没有得到控制，根据我对朋友的标准，他们就不再是彼此的朋友，也不再是自己的朋友。

至于对其他人，这个回答相比之下也不算坏。倘若有人问我："如果你的意志命令你杀掉你的女儿，你会这样做吗？"我的回答也大致如此，我会说，我会这样做的。因为这样回答并不能表明我同意这么做，而是因为，我毫不怀疑自己的意志，也绝不会怀疑这样一个朋友的意志。

即便世界上最善辩的雄才也没法使我放弃对朋友意图和决心的信任——不，他的每一次行动，无论其表象如何，只要在我的眼前发生，没有我无法一眼看透，并立刻找到动机的。我们两个是如此地心有灵犀。抱着同样赤诚的情感替彼此考虑，以同样的情感向彼此倾诉衷肠，让彼此的心一览无余。我不仅懂得他的心，也懂得我的心，因此，任何和我有关的情况，我都会心甘情愿地把自己的利益托付于他，而非托付于我自己。

所以，任何人都不应该将这种友情与其他普通友情相提并论。这两种友情我都有体验，而且有过最完美的经历。但是，我要奉劝大家，不要将一种友情的规则与另一种友情混淆，否则就是自欺欺人。在普通的友情中，你必须手握缰绳谨慎而行，因为人心的联结并不牢固，不能不担心它从手中滑落。“爱他吧，”奇洛说，“就好像有朝一日你会恨他；恨他吧，就好像有朝一日你会爱他。”这条训诫尽管是我所说的那种最高贵、最完美的友情所厌恶的，在践行司空见惯的友谊中却属肺腑之言，亚里士多德常常挂在嘴边的那句话也同样适用于这种友谊：“哦，我的朋友们！没有一个是朋友！”

支撑和维系其他友情的，常常是朋友的相助、礼物的互赠和利益的分割，但在高尚的交往中，这些不值一提，因为我们的意志已经浑然一体。我在有需求的时刻（无论斯多葛派怎么说）会满足自己，但是我没有必要感激我对我自己的恩惠，因此，我对自己的善并没有增加；同理，真正完美的朋友，他们的联合不需要履行所有这样的职责，并且他们会憎恶所有关于分割与区别的词汇，对之绝口不谈，如利益、责任、感恩、请求、致谢，等等。一切事物、意志、想法、意见、财物、妻儿、荣誉、生命，都属于他们共有，他们情感的绝对相融，就是两个身体共享一个灵魂（根据亚里士多德所做出的恰当定义），既不会借让，也不会给予彼此任何东西。这就是为什么立法者尊崇婚姻，使之具有神圣结合的属性，并禁止夫妻间的一切礼物馈赠。根据他们的推理，一切都属于彼此，夫妻间没有什么需要分割，也不需要赠予彼此。

在我所谈论的这种友谊中，如果一方能给予另一方东西，受惠方其实是施惠方。二人争相研究的首要问题是怎样对对方有利，因而提供这一机会的人才是慷慨的一方，因为他极力想满足朋友为他做事的愿望。哲学家第欧根尼手头拮据的时候，他不说向朋友借钱，而说要朋友还钱。为了说明这件事在现实生活中是如何发生的，我想引用一个古代的奇特例子。柯林斯人欧达米达斯有两个朋友——西希昂人卡里塞努斯和柯林斯人阿雷特斯。这两个人非常富有，而欧达米达斯却穷困潦倒。他在死前这样立下遗嘱："我将赡养母亲的义务赠给阿雷特斯，由他来给她养老送终；我将抚养出嫁女儿的责任赠给卡里赛努斯，并赠予她尽可能多的嫁妆；如果他们两人有一个不幸故去，在世的人就取代他的位置。"最初看到这份遗嘱的人，读到里面的内容时忍俊不禁。但是在两个继承人得知遗嘱内容后，欣然接受了它。其中一位，卡里赛努斯，五天后也过世了。阿雷特斯因而一个人担负起双重责任，悉心赡养老太太，从自己的五塔兰特财产中分出一半给自己的独生女做嫁妆，另一半给欧达米达斯的女儿做嫁妆，并在同一天举行了庄严的婚礼。

这是个最完美的例子，只是有一点做不到，即让众多的朋友受惠。我所谈论的那种完美友谊是不可分割的。每个人都把自己的全部交给他的朋友，再也没有留下什么能给予其他人；相反，让他伤心的是，他不能一分为二，一分为三，一分为四，他没有好多灵魂，好多意志，把它们统统献给一个对象。普通的友谊是可以分割的，你可以爱一个人的英俊潇洒，爱另一个人的性格随和，爱第三个人的宽宏大量，爱第四个人慈父般的胸怀，爱第五个人兄弟般的手足之情，如此等等。但是我所说的友谊占有全部灵魂，它以至高无上的权力实施绝对统治，不允许有任何人与他相争。如果两个人同时请求你给予帮助，你会奔向谁呢？如果他们要求你做相反的事，你怎样让两人都满足呢？如果一人要你就某事保守秘密，而另一人又有必要知道这事，你该怎样摆脱这种局面呢？

崇高而独特的友谊能扫除这所有羁绊，我发誓不告诉任何人的秘密可以不惧食言转告他，因为他不是别人，而就是我。一个人如果能一分为二，那绝对是一大奇迹。那些说要一分为三的人，他们并不知道他们在说些什么。独特的事物总是天下无双。如果有人认为，在两个人中，他对他们的爱不分上下，认为他们之间也彼此相爱，就像我爱他们一样爱我，那么他就是一分为多，变成了个兄弟会，可谓举世无双的结合，可是，哪怕是一个这样的例子，在这世上也难以找到。这个故事余下所发生的与我所说的如出一辙。当欧达米达斯将满足自己需求的愿望作为遗产留给朋友们时，实际上是将恩泽与实惠赠予了他们。他这样做使他们成为他慷慨大度的继承人——他给予他们机会，使他们能够给他施惠。毋庸置疑，友谊的力量在这样的行为中表现得淋漓尽致，远胜于阿特雷斯的行为。

总之，这种友谊的力量是那些从未有此体验的人所不能想象和理解的。它使我对那位士兵对居鲁士大帝的回答产生了无限敬意和钦佩。那位士兵的马在比赛中获胜后，居鲁士问他那匹马想卖多少钱，是否愿意用它来交换一个王国。“不，当然不会的，陛下，”士兵回答道，“如果我能找到一个值得结交的人，我很愿意把这匹马给他，换得一个真正的朋友。”他说的不错——“要是我能找到”，因为天底下符合这种泛泛之交条件的人比比皆是。但对于我说的那种友谊，一个人交友要发自心底，毫无保留，就必须保证心中的榫槽及锁簧都与钥匙能完美相配。

在那种仅靠某一目标而延续的联盟之中，我们只需提防那些阻碍实现这一目标的瑕疵。我的医生或律师信什么教对我无关紧要，这种顾虑与他们给予我的友情帮助毫无关系。在日常家务中，我与仆人的交往必不可少，但我同样不会在意这样的问题。在找男仆干活时，我从不会过问他是否有贞操问题，我只关心他是否勤劳；我不关心车夫是否沉迷于赌博，而只关心他是否健壮能干；我不关心厨师是否骂骂咧咧，只关心他是否能把饭做好。我并不好为人师地指挥别人该怎样处理家事（许多人喜欢指手画脚），我只想告诉世人我自己处理家事的方法。泰伦提乌斯曾说："我就是这样做事，至于你，悉听尊便。"

至于餐桌闲聊，我喜欢轻松机智，而不喜欢学究气太浓的严肃话题。若论床帏之事，美色先于贤淑。日常交谈中，我喜欢健谈之士，而不论其言谈是否实诚。就像那位骑着木马和孩子嬉戏的人一样[①]，当有人撞见他如此这般

① 这里指阿格西莱，参见伊拉斯莫《名言录》第一章，译者注。

的情景时，他请求那人，在他自己没有当上父亲之前不要做任何评价，因此当他的心灵被这种柔情占据时，他才会成为公正的评判者；我同样会对那些与我一样拥有相同经历的人说：我们深知这样的友谊与现实距离遥远，难得一觅，便不再期望能遇到一个公正的评判者。即便是古人给我们留下的关于这一话题的论述，与我亲身感觉相比，也平淡乏味。在这一点上。它的影响远远超过哲学的至理名言。“只要我头脑还够清醒，什么都比不上一个好友”[出自贺拉斯的作品]。

古代的米南德宣称，即便只能和友人的影子相逢，也是三生有幸。他当然有理由这样说，尤其是他以亲身经历说话。平心而论，如果比较一下我的余生——感谢上帝，我此生十分安逸平静，除了失去这样一位朋友，还没有受到悲伤与痛苦的侵扰，我内心淡然，满足于自然赐予我的天赋和自身的天分，也没有为周遭的人焦虑担忧——如果我把这一段生命与有那位挚友幸福相伴的四年相比，那只不过是渺渺轻烟，是一个昏黑沉闷的夜晚。自从失去他那一天起——“那永远神圣、永远令我伤怀的一日，这是神的旨意”[出自《埃涅阿斯纪》]——我一直在倦怠中苟且度日——那屡屡降临的快乐没有给我带来丝毫慰藉，反而让我备感伤怀，挽叹他的故去。我们从来都是彼此的另一半，以至于一想到我将后他而去，便不免觉得，是我窃取了他的那一半。“昔日仙去无同好，余生只应有独悲”[出自泰伦提乌斯的作品]。

无论身处何方，也无论做什么，我一直习惯于做另一个他，以至于现在的我感觉自己只不过是半个人。正如贺拉斯说:“如果命运夺走我的一半灵魂，另一半为什么还要继续存在？剩下的那一半将不再如此可亲，也不再完整——那一天将会让我们一起消亡。”无论做什么，想什么，我都对他充满思念，正如我知道，他也会对我充满思念。正如他的德行和成就远远在我之上，他友情的操守也非我所能望及。“因如此亲爱的人哀伤，会有什么羞耻或限度？”

绿山墙的安妮

节选

露西·莫德·蒙哥马利

1874—1942

自 1908 年安妮·雪莉首次亮相以来，露西·莫德·蒙哥马利笔下那位勇敢的加拿大孤儿就与世界各地好几代的人们成为朋友。爱德华王子岛是蒙哥马利和她的女主人公度过童年的地方，是数百万游客的朝圣地。蒙哥马利还是个孩子的时候，就喜欢讲故事，沉浸在自己的想象世界。在二十几岁时，她就确立了国际知名作家的地位，在她的写作生涯中，她创作了近 1000 篇诗歌和短篇小说，以及 10 卷日记。蒙哥马利在面对逆境时表现出的任性、乐观的态度赢得了大批“粉丝”。她的国际荣誉包括大英帝国勋章等。《绿山墙的安妮》是一系列讽刺古板的乡土生活作品中的第一部。在这里摘录的章节中，顽皮的安妮魅力四射，她在故事中吐露了她孤独的心迹，表达了她希望拥有“一个真正志同道合的灵魂”的衷心愿望。

第八章

安妮开始新生活

谁也不知道为什么，玛瑞拉没有告诉安妮要安排她在绿山墙住下。直到第二天午后，安妮才获知她可以留下来了。整个一晌午，玛瑞拉给这孩子安排了各种各样的活儿，在一旁仔细观察着，就像安妮观察他们两个一样。到了中午，她判定，安妮这孩子聪明听话，眼里有活，心灵手巧。但她有个最大的缺点，就是在干活的时候老是陷入幻想，把一切忘得一干二净，直到有人一声厉喝或有灾难从天而降，将她拉回到这个世界上来。

中午，洗完盘子之后，安妮猛地撞见玛瑞拉，于是带着一副绝望的神情，准备接受最坏的宣判。她身材瘦小，浑身颤抖着，脸色通红，眼睛睁得大大的，让黑眼球几乎充满整个眼眶，两只小手紧紧地攥在一起，带着恳求的语气说道：

“求求你，卡斯伯特小姐，告诉我，你是不是要把我送走？一上午我都忍着没敢问，可现在还不知道，我真的受不了了。请告诉我吧！”

“我让你用热水烫洗碗布，你还没做吧？”玛瑞拉依旧不动声色，“去，先把活儿干完再来问！”

安妮只好乖乖地去洗了抹布，然后回到玛瑞拉身旁，用乞求的眼神紧盯着她。

“好吧，”玛瑞拉说道，她再也找不到其他理由不给她解释了，“我觉得还是应该告诉你。我和马修已经决定了让你留下来——就是说，你得做个听话的小女孩。喂，安妮？你怎么了？”

“我哭了，”安妮的语气中有些疑惑，“我也不知道为什么。我真的太高兴了！哦，高兴这个词似乎还不够确切——我看到白色大道和樱花时很高兴，现在可不只是高兴！比高兴还高兴。我太幸福了！我一定做个好孩子。也许这很难，托马斯太太总说我是个坏透了的孩子。不过，我会努力改正。可是你能告诉我，我为什么哭了吗？”

“我想是因为你太激动了，太兴奋了吧？”玛瑞拉有点责备地说道，“坐到椅子上去，冷静一下。你哭笑起来可真够快的！没错。你可以留下来了，我们会好好待你的。你必须上学，不过离放假只有两个星期了，现在还不值得，还是等到九月份开学再去吧。”

“我该怎么称呼你呢？”安妮问道。“要一直叫你卡斯伯特小姐吗？能不能叫你卡斯伯特阿姨？”

“不，你就叫我玛瑞拉吧，我不习惯别人叫我卡斯伯特小姐，这样叫会让我紧张。”

“叫你玛瑞拉听上去太不尊敬了吧？”安妮提出了异议。

“没什么不尊敬的，只要你恭恭敬敬地谨慎说话就可以了。在安维利村，不管老少，都叫我玛瑞拉，除了牧师。他管我叫卡斯伯特小姐——在他想起我名字时。”

“我喜欢叫你玛瑞拉姨妈。”安妮恳切地说道，“我从来没有过姨妈或者别的什么亲戚——连祖母也没有。叫你姨妈让我感到我真的属于你。我能叫你玛瑞拉姨妈吗？”

“不行，我不是你姨妈，我不喜欢别人用不相干的称呼来叫我。”

“可是我把你想象成我的姨妈。”

“可我不能。”玛瑞拉严肃地说。

“你从来没有想象过与现实不同的事情吗？”安妮瞪大眼睛问道。

“对。”

“哦！”安妮深深吸了一口气，“哦！玛瑞拉小姐——玛瑞拉，你可是错过了很多好东西！”

“想象与现实不一样的事情，我不信那一套！”玛瑞拉反驳说，“上帝给我们创造出这个地方，不是想让我们去在想象中丢掉它。噢，说到这个，我差点忘记，安妮——到起居室去，注意脚要干净，别让苍蝇飞进去——把壁炉台上的图画卡片给我拿过来，上面有《主的祈祷》，今天下午空闲时你要把它背下来。”

“昨晚我祷告得很笨。”安妮带着歉意说，“不过，你看，我从来没练过。你不能指望人家第一次做祷告就完美，对吧？上床后，我想出了一个非常好的祷告词，和我答应你的一样好。就像牧师说的那样长，充满诗意。可是，你能相信吗？今天早晨我起来后一点儿都想不起来了。恐怕我再也想不出这么好的祷告词来了。不知为什么，第二次想出来的永远不会比第一次好。你注意到了吗？”

“有件事你需要注意一下。安妮。我让你干什么的时候，你立即去干就是了，不要呆呆站着喋喋不休地说。去吧，照我说的做。”

安妮赶忙起身穿过客厅到对面的起居室去，一去就一直没有回来。玛瑞拉等了十分钟，便放下手里的针线活，神情严肃地走过去，只见安妮一动不动，倒背着两只手，抬头看着挂在两个窗户之间墙上的画，仿佛进入了梦乡一般。白色和绿色的光透过苹果树和藤蔓照进屋内，落在这个恍然入梦的小小身影上，发出一种神秘的光辉。

“安妮，你到底在想什么呢？”玛瑞拉厉声问道。

安妮吃了一惊，重新返回到现实中。

“那个……”她指着画——那是一幅彩色石印画，名叫《赐福孩子的耶稣》——说道，“我在想象，我就是他们中的一个，就是穿着蓝裙子那个小女孩，她独自站在角落里，仿佛谁都不属于，就像我一样。她看上去很孤单，很伤心，你不觉得吗？我猜她没有父母，但是，她也想得到主的祝福，所以怯生生地站在人群外面，希望没人注意到她——除了耶稣。我很了解她的心情。她的心扑通扑通乱跳，两手发凉，就像刚才我问你能不能留下一样。她很担心耶稣是否能注意到她。不过，耶稣好像注意到了她，你说是吧？我一直在想象——她一直在一点点地向前挪，终于离耶稣很近了；耶稣看到了她，把手放到了她的头顶上。啊！一阵喜悦流遍她的全身！不过，要是画家不把耶稣画得这么悲伤就好了。你一定早就注意到，所有耶稣的画都是那样。我不信耶稣真的总是一副悲伤的样子，否则孩子们就会害怕他了。”

“安妮！”玛瑞拉不知道为什么她一直没有打断她，“可不能这样说，这是大不敬，绝对的大不敬！”

安妮惊奇地张大眼睛。

“为什么？我一直很虔诚敬仰啊，我从来没有不敬的意思。”

“嗯，我想你也不会。可是讲这样随意的话可不对。还有，安妮，如果我吩咐你去拿什么东西，你就应该马上拿来，不要拖拖拉拉，对着画入迷。记住了吗？拿上那张卡片，马上到厨房去，坐在那里把祷告词背下来。”

安妮把一大瓶苹果花拿进厨房，插到餐桌上做装饰，又把卡片靠在花瓶边上——玛瑞拉斜瞟了一眼，但没说什么——只见安妮双手托着下巴，开始聚精会神地学习颂词，静悄悄地一连好几分钟。

“我喜欢！”她终于喊出声来，“太美了。我以前也听过，孤儿院主日学校校长给我们念过这个祷告词。不过，我当时可不喜欢。他的声音非常沙哑，祈祷的时候很悲哀。我敢肯定，他觉得祈祷不是件让人喜欢的事。祈祷不是诗，却给人以一种诗的感受。比如‘在天国的父，愿人都尊你的名为圣’，这简直就是音乐。哦，我很高兴你让我背诵这个，玛瑞拉小姐——玛瑞拉。”

“那就把它背下来吧，别吵吵。”玛瑞拉干脆地说。

安妮歪了歪花瓶，轻吻了一下瓶中的粉红花骨朵，又聚精会神地学习了更长时间。

“玛瑞拉，”她忽然问道，“你觉得我会在安维利找到知心朋友吗？”

“朋友？什么样的朋友？”

“知心朋友，就是关系很好的朋友，你知道的，就是那种可以托付灵魂，倾诉衷肠的朋友。我一直梦想能遇到这样的朋友。我不奢望这个梦想能够实现，但我的许多美好愿望都一下子变成了现实，也许这个也会实现，你觉得呢？”

“住在果园坡的黛安娜·巴里和你年龄差不多。她是个很乖的小女孩，现在去卡摩迪的亲戚家了，等她回来，也许能成为你的玩伴。不过，你可要注意礼貌哦。巴里太太是个很挑剔的人，她可不会让黛安娜和粗俗无礼的孩子玩耍。”

安妮隔着苹果花看着玛瑞拉，目光里闪烁着兴奋的光芒。

“黛安娜长的什么样子？她的头发不会是红的吧？啊，但愿不是，我自己长着红头发就够烦人的了，可真不能容忍知心朋友也长红头发！”

“黛安娜是个非常漂亮的小女孩。她黑头发黑眼睛，脸蛋红扑扑的，还特别聪明，这一点比可漂亮更重要。”

玛瑞拉就像《爱丽丝漫游奇境》里的公爵夫人一样喜欢教训人，她坚信，对于要管教的孩子，每说一句话都得加上些批评教育。

可是安妮却满不在乎，没有留意玛瑞拉话中的深意，只抓住了眼前最有可能让她感到快乐的那一部分。

“噢，她长得漂亮，那我太高兴了。找一个漂亮的知心朋友，那再好不过了，仅次于自己长得漂亮——可我已经不可能了。我和托马斯太太住在一起的时候，起居室里放着一个带玻璃门的书柜，不过柜子里放的不是书，而是装着托马斯太太最精致的瓷器和蜜饯——她把所有能存放的蜜饯都放在了那里。书柜的一扇门破了——托马斯先生一天晚上喝醉了一点，砸碎了玻璃，不过另外一扇门还是完整的。我总是假装我的玻璃影像是住在柜子里的另一个小女孩。我给她起名叫凯蒂·莫利丝。我们是非常要好的朋友。我和凯蒂常常交谈，一谈就是几个小时，特别是星期天的时候。我向她倾诉一切，凯蒂带给我的生活带来安慰和鼓励。我们想象书柜中了魔法，要是我能说出咒语，就能打开书柜的门，进入凯蒂住的房间，而不是托马斯太太放瓷器和蜜饯的书架。凯蒂就会牵着我的手，把我带到一个奇异的地方，那里鲜花遍地，四处洒满阳光，还有飞舞的精灵，我们就会从此在那里过上幸福美好的生活。后来我搬到哈蒙德太太那里去住，不得不和凯蒂告别。我悲伤极了，我知道凯蒂也很伤心，因为她隔着书柜门与我吻别时一直在哭。哈蒙德太太那里没有书柜，不过，在她家附近有一条小河，顺着河往上走稍远一点，有一个狭长的绿色山谷，那里有美妙的回声，它能把你说的每一个字都传回来，即便你小声说话。于是我把它想象成一个叫维奥蕾塔的小女孩，还和她成为要好的朋友。我爱她，几乎就像我爱凯蒂·莫利丝一样。我到孤儿院的前一天晚上向她告别，她说再见的声音传回到我的耳朵里，是那么，那么哀伤。我深深地思念着她，在孤儿院再也没有想象出另一个知心朋友，即便那里有任何可以让我想象的空间。”

“没有让你胡思乱想的地方就好了。”玛瑞拉面无表情地说。“我可不赞成这样子。你好像有点相信你的想象是真的。要是能有一位真实的朋友，把你脑子里那些胡思乱想都清除出去，那敢情对你很有好处。所以，不要跟巴里太太听到你谈论什么凯蒂·莫利丝和维奥蕾塔，否则她会认为你在闲扯。”

"哦，我不会说的，我谁都不会说。她们俩是我最神圣的回忆，不可以随随便便地向别人谈起。不过我觉得应该让你知道。啊，快看！一只大蜜蜂刚从苹果花里飞出来。想一想，住在苹果花瓣里，那是多么可爱的地方呀！想象一下，睡在花瓣里，微风摇动，那是多么惬意！我要不是人类女孩，就会变成一只蜜蜂，住到花丛中去。"

"你昨天还想变成一只海鸥呢？"玛瑞拉哼了一声，"这样朝三暮四的。我让你背下祷告词，不要说话。可是你好像就不能住口，仿佛一直有人听你说似的。你还是到自己的房间去背吧。"

"哦，我已经差不多全背下来了，就剩下最后一行了。"

"哎，无所谓，照我说的办。去你自己的房间，背熟它，我叫你的时候再下来给我拿茶叶。"

"我能带上苹果花做伴侣吗？"安妮恳求道。

"不能，你不会想让你的房间到处都是花吧。你本来就应该让花留在树上的。"

"我也这样觉得，"安妮说，"我似乎也感觉不应该随便摘花，缩短它们可爱的生命——如果我是苹果花的话，肯定不愿意被人摘。可是，我真的抵挡不住那种诱惑。当你无法抵挡诱惑的时候该怎么办呢？”

“安妮，回自己的房间去，你没听见我说吗？”

安妮叹了口气，回到东山墙屋，在窗边的一把椅子上坐了下来。

“好了，终于背下来了。上楼的时候我就已经把最后一行记住了。现在，我要用幻想在这个房间里创造些东西，让它们永远留在这里。地板铺上白色天鹅绒地毯，绣上粉红玫瑰，窗户上遮上粉色丝绸窗帘，墙壁上悬挂金银织锦壁挂。家具全是桃花心木材料。虽然我从未见过桃花心木，但它听上去很豪华。这里放一张沙发长椅，上面堆满丝绸靠垫，有粉色、蓝色、红色和金色的，我正优雅地斜靠在上面。我可以在墙上悬挂的华丽的镜中看到我的影子。我个子高挑，像女王一样雍容华贵，身上穿一条镶白色花边的裙子，一直拖到地上，胸前戴一颗珍珠，头发上也戴着几颗。我的头发像黑夜一样，肌肤如象牙一般洁白。我的名字叫科迪莉娅·菲茨杰拉德小姐。嗯，不行，我不能让这显得太真实。”

安妮轻快地来到镜子前看着它，里面映着一张长满雀斑的尖尖的脸和一双神情严肃的灰色眼睛。

“你不过是绿山墙的安妮！”安妮严肃地说，“无论我什么时候幻想成为科迪莉娅小姐，我都能看到你，就像你现在能看到我一样。不过，做绿山墙的安妮要比不知何方的安妮强上一百万倍，对吧？”

安妮往前探了探身子，满怀深情地吻了一下镜中的自己，又回到敞开着的窗边。

“亲爱的‘白雪皇后’殿下，下午好！山谷中亲爱的白桦树们，下午好！山丘上可爱的灰色小屋，下午好！我不知道黛安娜是否会成为我的知心朋友。我希望她会，我会非常爱她的。可是我永远不会忘记凯蒂和维奥蕾塔，不然她们肯定会很伤心的。我可不想伤害任何人的感情，即使是书柜中的小女孩和回声小女孩。我必须记住她们，每天给她们一个吻。”

安妮用指尖抛出几个吻，看着它们飞越那樱花，然后双手托着下巴，愉快地漂向无边无际的幻想海洋。

友谊中

安妮·伊莎贝拉·萨克雷·里奇

1837—1919

里奇是19世纪下半叶一位成功的小说家和散文家。她的作品《戴蒙德夫人》《悬崖上的村庄》和《老肯辛顿》深受推崇。她的小说创作利用了自传以及当代英国和欧洲历史，偶尔采用包括情节剧在内的流行文学风格。如今，她的知名度稍逊于她的父亲，小说家威廉·马克皮斯·萨克雷和她的侄女弗吉尼亚·伍尔夫，后者称赞里奇写出了"只有在古典文学中才能与之匹敌的段落"。亨利·詹姆斯称赞里奇有"从可见事物中猜出不可见事物的能力"，乔治·艾略特认为，她的作品是现代人为数不多值得一读的。她对丁尼生、罗斯金、勃朗宁夫妇和其他文学朋友的回忆记录了消失中的维多利亚时代。在下面摘自《劳动者和老处女》的选段中，里奇用自己的亲身经历，从年长和年轻女性的双重角度对友谊做出了反思。

这尘世应该有多少东西要爱，
方能知道你是谁心头的唯一。
当花儿盛放，你可尽情踩在脚底，
无数次哭泣，无数次伤心的别离。
一切匆匆而过，我们还不曾尝到滋味，
那弥久的香气，却来自古老的友谊。

在给维克多·雨果的一首十四行诗中，阿尔弗莱德·德·缪塞如此写道。当我们的生命继续，我们才发现谁是我们真正爱着的人，谁的友情属于我们。生活或关系的机缘让我们结成友谊。有的时候只有不再拥有它的时候，我们才发现谁以及什么对我们意义重大——同我们愉悦共处的那些“美好而恒久的朋友”，他们的美好陪伴让我们泰然自若。

我们当中的有些人会发现，我们活得越长，就越发现，心灵的祥和并不能在绝对的孤独中找到。一个孩童在黑暗中惊醒过来，发现自己孤身一人，便开始哭泣，在床上翻滚，伸出双臂去寻找能给予他保护的大手；无论男女，当他们陡然间醒来（这惊醒是多么奇妙啊，它的发生不在乎地方，也不在乎时间是否适宜），似乎总是忠实地保持着孩童最初的本能。人们在无助的时候四处寻找庇护，寻找同情，寻找理解，寻找伴侣的关怀。随便你叫它什么名字吧，它就是那为找到伴侣的哭喊声，就是对沉寂的死亡和无人陪伴的恐惧。人与人的同情，言语要么不能充分表达，要么就是笨拙地夸大其词，它总是表现为数不尽无力的象征或痛苦，表现为突如其来的荣耀与不可解释的狂喜；当我们思考这同情的时候，却发现它是所有情感中最理性的那一种。它就是生命，它将我们和我们这个物种的精神束缚在一起，就像感官将我们与物质世界束缚在一起一样。它常常让我们感到就是大自然的一部分，我们以美妙的和弦回应她的抚摸。

人们说，男人往往比女人更忠实于友谊，更会建立友谊。难道这是古典教育的结果吗？书本里方括号中那些对举世皆知的友谊的注解，有没有刺激年轻的我们去模仿那些身披托加袍的庄严的古人？他们的名字，他们的论述，一代代传给我们，经历了两千多年，从一个国家走向另一个国家，从一代人传给另一代人，从一种语言翻译到另一种语言，直到它们闪耀着光芒出现在波宏古典文库的书页上，其中的一卷我还从山上阅览室的桌子上借回家中读。那本书依然翻开在论友谊的那一章节。“尽管命运将大西庇阿从我身边匆匆夺走，对我而言，他依然活着，将永远活着；因为我爱他的美德；在命运或自然赐予我的所有事物中，没有任何能与大西庇阿和我的友情相比。”西塞罗借助莱利乌斯和波宏之口这样写道。虽然屡经变化，这种恢宏的思想至今存在着。与人们依然悼念的西大希庇阿的那个时代相比，如今这个世界上，友谊已经不再那么至高无上。有的人生来具有交友的天赋，他们能把朦胧、抽象的感情转化成实际的语言、触觉和反应。当生命的洪流继续滚动，“习惯而成的印象与情感轰隆隆翻滚而至”，一位作者这样描写友谊。他自己内心深处的洪流只要碰到任何微小的阻碍与限制，就会立即涨溢而出。对我们许多人来说，一提到朋友的名字，我们几乎可以讲述出我们自己生命的历史。当我们对着历史的书卷沉思时，每一个名字似乎都产生新的意义，成为对过去的诠释。有些人，尽管他们似乎只对我们的命运产生了极小或者边缘性的影响，却能够给我们讲述出隐藏在悠悠岁月背后的完整故事。一个人可能意味着炽烈的情感、无礼的斥责、温柔的谦让；一个人可能意味着公正、宽宥、悔恨；而另一个人则能讲述我们遭遇的一切痛苦、我们生命中一切神圣的事物，向我们讲述感激和永远的信任。对我来说，有的名字只要一想到就像听到巴赫的音乐，而有的名字则像打开马太福音。“我最亲爱的朋友，”一个年轻人昨天这样写给他的母亲，那简朴的词语似乎能给我讲述他们生命的全部历史。

“在友谊结出两次高贵的果实（即心情的平和与判断的支持）之后，就是第三次结果，这果实就像石榴，里面果籽累累。我想说的，是那种在所有行为中，在所有场合下，都能发挥作用，给予我们帮助的友谊之果。”300年前，培根勋爵本着和西塞罗一致的精神这样写道。

爱上一个人，那是一种显而易见的状态；在一个彬彬有礼的社会中，人与人交往却没有友谊，这种状态或许也显而易见；但是，友情是生命中的最大赐福，与其同样重要的情感相比，它并没有给内心留下算计的空间。当然，友谊有自己的影响范围，然而，外向的生命却似乎总是沉迷于交易、交际、事业的谋划、吃吃喝喝，却毫不留意我们所爱的朋友。工作和焦虑占据了我们的心灵（我们本可以与友人共享），终有一天，我们不再有时间留给朋友。

最近我总是思考友谊，并就这个话题写出了这篇短文，因为我觉得，同情是人生教给我们的最宝贵的知识，做一个好朋友是一切秘密的秘密。我的这种苦衷，可能会有一两个读者能够理解。可是如果我们回过头来想一想，我们通常为了获得朋友的慰藉和帮助所做出的牺牲，却显得荒唐可笑。“一迈纳，两迈纳，那这就是你给朋友的定价，安提斯泰尼，就像你给奴隶的定价？有的奴隶可能值两迈纳，有的可能都不值半迈纳；有的奴隶值五迈纳，而有的奴隶则值十迈纳。”安提斯泰尼表示同意，并说，有的朋友甚至连半迈纳都不值；“还有的，”他说道，“我会不惜这世上所有的钱财和利益买来做我的朋友。”

当今社会中我们这些安提斯泰尼们恐怕会认为，牺牲一个月的收入是非常不得了的。当朋友有困难的时候，我们在他的门口留下一张卡片，或许还会不厌其烦写一张纸条。当一切静好的时候，我们悄无声息，各走各道，无暇旁顾。我们一连几个月不见面，没有任何原因，而这一切只是因为没有习惯，而非没有感情。尽管我们鄙夷这尘世的浮华万千，但就在我们中间，甚至两千年之后，还是有一些人能够见证彼此之间那真情实意的一次次重生。那种真切存在于悲欢离合之中，存在于我们彼此的同情中。一篇缥缈的歌颂友谊的文章，终有一天会变成一段朋友的真实经历。

在一个安静的小岛上，我握管而书，在这里，我听到西塞罗的声音，聆听《悼念集》，听朋友歌颂友谊，歌声与云雀高亢的鸣叫相和，与海浪相伴，那海浪翻滚着，拍打小海湾岸边的岩石，将我们的假日一天天冲走。那沁人心脾的香味和炫目的阳光仿佛与我们睿智而天然的情感和谐相处，然而，直到我们返回普通的生活才发现，高尚灵魂的教诲，比起我们以冗繁的语言迷惑不解地将生命翻译出来的，肃穆无声的蝇头小字，差异竟如此巨大。

是不是因惋惜被埋葬的时间

而在四月里醒来，抖擞精神
与来年相会，给新月般的旺盛年华
抹去又添加色彩？
并非所有：歌声、躁动的空气，
生命从尘土中再次找到方向
透过红尘高喊，聆听
让世界变得如此美好的信任的心声

此时此地，安详地沐浴在户外的春风中，我们终于有暇自问：在我们对友情的算计中，在我们把生命浪费在今日匆忙事务的计划里，是不是出现了什么差池？因为我们的生命里人群熙熙攘攘，日日重复，焦虑与忧愁去而复来，物质的世界杂乱无序。或许，借助感觉，仅仅借助感觉，可以就可以让人们停止追逐那琐碎无聊的反复，不再浪费我们的时间，不再让我们宝贵的爱和深情的力量随风飘荡。

有时，我们会第一次蓦然领悟这种友善，体会多年来不曾意识到的那种忠诚的保护有多么珍贵。我们欠友人的太多，他们的友谊让我们获益，却从不图回报和奖赏；而我们则会带着自然的深情与感激想起，回报的时刻早已过去；我们将终身负债——我们因一个人慷慨宽宏的友谊而更加富有，也同样会有朝一日因缺乏真理或内心无情而一贫如洗。

就在几星期之前，我的一个朋友离我们而去。对我，以及对所有人，他的名字代表了人生的一个完整章节，那章节是如此美好，我们会一遍遍地回味那一章节，重温旧情。这个朋友将自己的生命变成了他人的家，我们每个来到这个家的人都必定受到他的欢迎，始终如一地给予我们智慧。屋门敞开了，朋友缓缓走进来，白皙而高贵的脸上笑如春风。哪里还能找到比他更令人愉悦的友情？我们都知道，他似乎能够优雅地现场发挥，把漫不经心的暗示和含蓄的想法化零为整，把粗浅的谈话和婉转的提示编织成完善的方案，不失幽默，还富有隽永的哲理。在《康希尔杂志》几年前发表的一些文章里，常常可以领略到他诙谐风趣的幽默。

不过，我们的这位朋友，只有在他的亲自陪伴下，而不是通过他的文字，才能更真切地感受到他的本真。他的谈吐不同于其他任何人，说话的方式有时让我想起昔日的某个声音。他才思敏捷，温柔直率，说起话来言简意赅，让我们每个人都感觉通俗易懂。最近，E. R. 说，他说话的时候带着一种安静的权威，令人印象深刻，得到我们每个人不自觉的认可。可是，我们竟不知道痛苦的结局即将降临。

对长期承受的痛苦，他对我们只字未提。但是，假使谈及自己，也总是带着些许揶揄或幽默的妙语，暗指关于忍的哲学，只有在他死后，我们才得知他做出了多大的牺牲，表现出多大的勇气。

他常常想到严肃的事，就像常人那样。在我们最后几次见面时，有一次他告诉我，“我越来越坚信，天父的爱和尘世间的父爱没有什么不同；作为一个尘世间的父亲，我为子女的事业顺利和物质上的安康感到由衷的高兴。”又有一次，他援引《拐弯抹角的随笔》，忽然说道，“‘你要好好的，我亲爱的。’相信这句话，这就是人生的全部哲学；它是如此简单。”

在谈到一位朋友时，他动情地说：“我觉得我爱他，即便他已经死去。”

他有一个愿望——我们总是拿这个愿望取笑他——希望有一座在城市中央的大楼，就像皇家阿尔伯特音乐厅那样，让朋友们住在一起，让夜不能眠的人沿着画廊散步。

或许有些人会想，这样私密的故事不适于书写在这里，但是，一回想起那个睿智、温柔的灵魂，那个慷慨、诚恳的生命，还有什么比他的故事更真实，更不私密呢？这个生命曾经属于我们所有人，我们的生命都因那个人的存在而变得更加美好。在他活着的年代，他善言必有善举，他的每一句真话必然要经过对事实的概括。他教给我们的是——“让我们真实地对待自己吧，不要害怕成为自己，不要害怕彼此相爱，吐露衷肠，不要害怕彼此信任。”

昨天夜里，月亮初升时还非常暗淡，但当它穿过缥缈的薄雾，像燃烧的白焰一样升到远远的丘陵上空时，一只黑鹂站在一根光秃秃的树枝上，看着那变幻无穷的阴影中的世界，田里的小马驹欢快地蹦跃着。后来，大约十一点，雾渐渐散去，一片静谧，银辉四溢，梦境被一只夜莺的鸣叫打破。L某领着我们来到他父亲花园的小平台上。在夜的王国的统治下，一切领土尽收眼底，而梦就是它的边界。有一分钟时间，我们就伫立在那里，聆听那单调的波涛声。然后，涛声消失了，消失在一只布谷鸟唤起的彻底的静阒中，夜莺的鸣叫随即再次响起，引来涛声的再次应和。

随着我们闯进生命的喧嚣、炫目和忙碌，明天将是一场梦境。庸俗、艳气的星期一来了，人们无法再信任那神秘的星期天夜晚。可是这个静谧的星期天夜晚却比皮卡迪利广场上最耀眼的煤气灯更真实。自然的事物似乎会时不时地迸发出来，超越它们自身，载着我们向高空翱翔，飞跃那些煤油灯。我们也时不时地认识一些人，在那夜里，在万籁俱寂之时。

忠实的朋友

奥斯卡 · 王尔德

1854—1900

王尔德以其爱尔兰式的机智和“堕落”的癖好而闻名。他像是一位明星，维多利亚时代艺术圈里的大部分人都围着他转。尽管他的小说《道林·格雷的画像》让一些人感到震惊，但他犀利的散文和滑稽的喜剧却让更多人忍俊不禁，在19世纪90年代的伦敦风靡一时，并迅速征服了世界。在他成功的巅峰时期，他因私事受到审判，因严重猥亵罪被判处苦役。这是19世纪的最大丑闻，后来被尊为同性恋偶像。一夜之间，他和家人声名狼藉

(他和他的记者妻子康斯坦斯有两个年幼的儿子）。他的朋友立即抛弃了他。在他生命的最后几天里，他独自一人在巴黎的咖啡馆里出没，昔日名噪一时的花花公子如今形单影只。《忠实的朋友》是一个冷酷的道德喜剧，通过揭露假朋友及其虚伪的道德品质，抨击了那些由来已久的，看似虔诚，实则虚伪的言辞。故事问道，有这样的朋友，谁还需要敌人?

一天清晨，老水鼠从洞中探出头来。他长着明亮的眼睛，刚直的灰色胡须，尾巴就像一根长长的黑色橡胶管。小鸭子们在池塘里游来游去，仿佛一群金丝雀。他们的妈妈浑身洁白，长着一双红彤彤的腿，正在教他们如何在水中倒立。

“除非你们学会倒立，否则你们永远交不到最好的朋友。”她总是这么对他们说，并不停地给他们示范。但是小鸭子们并未留意她的话。他们太年轻了，一点也不知道交到最好的朋友有什么好处。

“这孩子们太不听话！”老水鼠高声喊道，“淹死活该。”

“没那事儿！”鸭妈妈回答说，“万事开头难，做父母的还得再多一点耐心。”

“啊！父母的情感我可一窍不通，”水鼠说，“我不是那种儿女情长的男人。实际上，我从未结过婚，也不打算结婚。爱情本身是挺好，但友情比它的价值更高。说实在的，在这世上，我不知道还有什么比忠实的友谊更崇高和更珍贵。”

“那么，请问，你认为一个忠实的朋友应该尽到什么职责？”一只绿色的朱顶雀开口问道，此时他正立在近旁的一棵柳树上，不意间听到了他们的谈话。

“是啊，这正是我想知道的。”鸭妈妈说话间已游到了池塘另一头，倒立起来，给孩子们示范。

“真是个傻问题！”水鼠喊道，“当然，我肯定希望我忠实的朋友对我是忠贞不渝喽！”

“那么你又用什么报答呢？”小鸟说着，跳上了一根银色的枝头，并扑打着他的小翅膀。

“我不明白你的意思。”水鼠回答说。

“关于这个，让我来给你讲个故事吧。”朱顶雀说。

“这个故事是关于我的吗？”水鼠问道，“如果是，我就乐意听，因为我特别喜欢听人讲故事。”

“很适合你的。”朱顶雀回答说。他飞了下来，立在岸边，开始讲那个《忠实的朋友》的故事。

“很久以前，”朱顶雀说，“有一个老实小伙子，名叫汉斯。”

“他很有名气吗？”水鼠问道。

“不，”朱顶雀答道，“我认为他没有一点名气，只是心地善良罢了，还长着一张奇特而和善的圆脸。他独自住在一个小村舍里，每天在自己的花园里干活。整个乡下没有谁家的花园比他的花园更可爱了。花园里长着石竹，紫罗兰、荠菜、法国松雪草，有粉红色的玫瑰、金黄色的玫瑰，有番红花，还有金色、紫色、白色的紫罗兰。随着季节的变化，耧斗菜和碎米荠，牛膝草和野兰香，莲香花和鸢尾草，水仙和丁香都渐次开放。一种花刚凋谢，另一种便绽放，因而总是有美丽的花儿供人观赏，沁人的芬芳可闻。

“小汉斯有许多朋友，但是最忠实的朋友只有磨坊主大休。的确，富有的磨坊主如此忠诚于小汉斯，以致每次他从小汉斯的花园经过总要俯身过墙采上一大束鲜花，或摘上一把香草。遇到果子成熟的季节，他的口袋里总是装满李子和樱桃。

“‘真正的朋友应该共享一切。’磨坊主常常对小汉斯说，而小汉斯也常常点头微笑，他为拥有一位思想如此崇高的朋友而深感骄傲。

“的确，有时候邻居们会感到奇怪，富有的磨坊主从来没有给过小汉斯任何东西作为回报，尽管他的磨坊里有一百袋面粉、六头奶牛和一大群绵羊。不过，小汉斯从没有为这烦恼过，再说，经常听磨坊主谈论真正的友谊是多么无私，对小汉斯来说，没有什么比这美妙的话题更让他快乐的了。

“就这样小汉斯在花园中勤劳不辍。春天、夏天、秋天里，他都很快乐，可冬天来临的时候，他没有水果和鲜花拿到市场上去卖，只得忍饥挨饿，还常常吃不上晚饭，只吃点干梨和坚果就上床睡觉了。冬天里，他也极其孤单，因为磨坊主从来不会这个时候去看望他。

“磨坊主常常对妻子说：‘只要雪还没有消，就没有必要去看小汉斯，因为人在身处困境的时候，就应该让他们独处，不要让外人去打扰他们。至少这是我对友谊的想法，我相信自己是正确的，所以，我要等到春天来的时候再去看他，他还会送我一大篮樱草，这会让他非常高兴。’

“‘你可真能体谅人啊，’他的妻子答道。她舒服地坐在扶手椅上，旁边炉火里燃着一大堆松木，‘的确很能体谅人。听起你谈起友谊，那可真不一般，我敢说，牧师本人也说不出你这么漂亮的话来，尽管他住着三层楼的房子，小指上还戴着金戒指。’

“‘不过，难道我们不能请小汉斯上山来吗？’磨坊主的小儿子说，‘如果可怜的汉斯有困难的话，我会把我的粥分一半给他，还让他看我的小白兔。’

“‘真是个傻孩子！’磨坊主大喊道，‘我真不知道送你上学有什么用。你好像什么都没学到。你想想，如果小汉斯上山来我们家，看见我们温暖的炉火、丰盛的晚餐、大桶的红酒，他可能会嫉妒的，而嫉妒是最可怕的，它会毁掉一个人的本性。我当然不允许小汉斯的本性被毁掉，我是他最要好的朋友，我必须看好他，不让他受到任何诱惑的欺骗。再说，如果小汉斯来到我们这里来，他会要我赊点面粉给他，这个我却办不到。面粉是一件事，而友谊是另一件事，不能把这两者混淆。你看，这两个词拼写不同，意思也完全不同。每个人都能懂得这个道理。’

“‘你讲得真好！’磨坊主的妻子给自己倒了一大杯温啤酒，说道，‘我真的很困了，就像在教堂里听讲布道那

样困。’

“‘很多人都做得不错，’磨坊主回答道，‘但是没几个人能说得好的人，可见，在两件事中说要更难一些，也是一件精细的活。’他隔着桌子严厉地看着小儿子，小儿子感到非常羞愧，低下头，涨红了脸，开始哭起来，泪水掉进了茶杯中。不过，他年纪太小，你就原谅他吧。”

“这就是故事的结尾吗？”水鼠问。

“当然不是，”朱顶雀回答说，“这只是个开头。”

“那么你就太落伍了，”水鼠说，“如今，所有故事高手都是从结尾讲起，然后回到开头，最后以中间结束。这是新方法。这话是我有一天从一位评论家那儿听来的，他当时正与一位年轻人在绕着池塘散步。他非常详尽地谈了这个话题，我相信他一定是正确的，因他戴着一副蓝色眼镜，头发也掉光了，而且只要年轻人一发表意见，他就会说，‘哼！’不过，请你继续讲故事吧。我尤其喜欢那个磨坊主。我这个人情感丰富，你我之间会有很大共鸣。”

“对，”朱顶雀两只脚交替跳着说道，“冬天刚过去，樱草就开始绽放，那浅黄色花朵宛如星星，磨坊主这时对妻子说，他准备下山去看望小汉斯。

“‘啊，你可真是个好心人！’他的妻子喊道，‘总是想着别人。记住，要带上那个大篮子以便盛花。’

“于是磨坊主用一根坚实的铁链把风车叶轮固定在一起，挎着篮子来到了山下。

“‘早上好，小汉斯。’磨坊主说。

“‘早上好。’汉斯拄着铲子回答道，他笑得很开心。

“‘冬天过得怎么样？’磨坊主问。

“‘啊，真的，’汉斯高声说道，‘很感谢你的问候，真的很感谢。我恐怕得说，我过得比较艰难，不过现在春天已经来了，我好快乐，我的花都长得很好。’

“‘我们冬天的时候老提起你，’磨坊主说，‘想知道你过得怎么样。’

“‘太感谢你了，’汉斯说，‘我还有点怕你把我忘掉了。’

“‘汉斯，你这话让我吃惊，’磨坊主说；‘友谊从不会忘却，这就是友谊的美妙之处，但是我觉得恐怕你不能理解生命的诗意。啊，顺便说一下，你的樱草长得真

美呀！’

“‘这些花确实很美，’汉斯说，‘最幸运的是，我有很多樱草。我要把它们拿到市场上，卖给市长的女儿，用那钱赎回我的手推车。’

“‘赎回你的手推车？你不会说你把它卖掉了吧？这样做可真傻呀！”

“‘嗯，事实上，’汉斯说，‘我不得不那样做。你知道，冬天那一段日子很艰难，我真的没有一分钱买面包，所以我先把最好的衣服上的银纽扣卖掉了，然后卖掉了银链条，接着又卖掉了我的大烟斗，最后卖掉了我的手推车。不过，我现在要把它们都再买回来。’

“‘汉斯，’磨坊主说，‘我要把我的手推车给你。它状态不太好，需要修理一下。实际上有一边已经不见，辐条也有些毛病。尽管这样，我还是要把它送给你。我知道，我这样做非常慷慨，好多人会认为，我送掉小车是很愚蠢之至，但是，和这个世界上的其他人可不一样。我认为慷慨是友谊的实质。再说，我已经有了一辆新手推车。是的，你就放心吧，我会手推车给你的。’

“‘啊，你真的太慷慨了，’小汉斯说，那张奇特的圆脸上闪烁着愉悦的光辉。‘我很很容易就能把它修好，因为我屋里就有一大块木板。’

“‘一大块木板！’磨坊主说，‘噢，我正想向你想要一块木板来补我的谷仓屋顶。那上面破了个大洞，如果我不堵住它，玉米就会全部受潮。真是很幸运你提到了这事！善行总是带来善行的回报，这真是奇妙。我已经把我的手推车给了你，现在你应该把你的木板给我。当然，手推车的价值远远高于木板。不过真正的友谊从不会在意这这。请赶紧把木板拿来，我今天就要开始动手修我谷仓。’

“‘当然了。’小汉斯大声说着，跑进小棚屋，把木板拖了出来。

“‘这木板还不算大，’磨坊主看着木板说，‘恐怕等我修完谷仓屋顶之后就剩不下多少给你修手推车了；不过，这当然不是我的错。现在，我已经把我的手推车给了你，我相信，你一定乐意送给我一些花作为回报。这是篮子，记住把它装满。’

“‘要装得满满的吗？’小汉斯很忧虑地问道，因为这可真是个大篮子，他知道，要是把篮子装满，他就不会有鲜花剩下来拿到集市上去卖了，可是他很着急要赎回银纽扣来。

“‘噢，说真的，’磨坊主回答说，‘既然我已经把手推车给了你，我觉得向你要些花也不算过分。也许我错了，可是我认为，友谊，真正的友谊，没有任何自私的成分。’

“‘我亲爱的朋友，我最要好的朋友，’小汉斯说道，‘我花园里所有的花，欢迎你随意拿。我更愿意听到你的高见，而不是赎回我的那颗银纽扣。’说完他都采下了所有美丽的樱草，装满磨坊主的篮子。

“‘再见了，小汉斯。’磨坊主说完，把木板扛在肩上，手里提着大篮子，朝山上走去。

“‘再见。’小汉斯说完，开始快乐地挖掘，他很高兴得到了一辆手推车。

“第二天，他正在往门廊上钉忍冬花，这时听见磨坊主的声音从马路传来。他跳下梯子，跑到花园里，隔着墙向外望去。

“只见磨坊主背上扛着一大袋面粉。

“‘亲爱的小汉斯,’磨坊主说,‘你介意帮我把这袋面粉扛到集市去吗?’

“‘哦,真对不起,’汉斯说,‘我今天真的太忙,要把所有的藤蔓固定好,还得给所有的花浇水,把所有的草都压齐。’

“‘哦,说真的,’磨坊主说,“我觉得,考虑到我要把我的手推车给你,你要是拒绝我那就太不够朋友了。’

“‘哦,可别那样说,’小汉斯喊道,‘我不会对世界上任何人做对不起朋友的事。’他跑进屋子,拿上帽子,扛上那大袋面粉,步履艰难地朝集市走去。

“这一天天气很热,路上到处尘土飞扬,汉斯还没有走到第六个路碑那里,就累得不行,只好坐下来歇息一下。不过,他又继续勇敢地上路了,最终到了集市。在那里等了一阵子之后,他卖掉了那袋面粉,还换了个相当不错的价钱。他立即动身回家,因为他担心,若在集市上呆得太晚,路上可能会遇上强盗。

“‘一天过的可真不容易。’小汉斯上床睡觉时自言自语道,‘不过我很高兴没有拒绝磨坊主,因为他是我最好

的朋友，而且他还要把他的手推车给我。’

“第二天一大早，磨坊主就下山来要买袋面粉的钱，可是小汉斯太累了，还躺在床上睡着。

“‘我得说，’磨坊主说，‘你可真够懒的，说实在的，考虑到我要把我的手推车给你，你就应该更勤快些。懒惰是一宗大罪，我当然不愿意我的朋友那么懒惰、拖拉。你一定不要怪我对你直言直语！当然，如果我不是你的朋友，我也绝对不会这么做的。做梦都不会！可是，如果人们不能有什么说什么，那么友谊还有什么用处？谁都可以说动听的话，巴结别人，奉承别人，然而真正的朋友总是忠言逆耳，不介意给人造成痛苦。真的，如果他是一个真正的朋友，就更乐意这么做，因为他知道他做的是好事。’

“‘很对不起，’小汉斯脱下睡帽，揉着双眼说道，‘可是我真的太累了，我只想在床上躺一小会儿，听听鸟儿的歌声。你知道吗，每当我听过鸟儿的歌声，干活的时候就更带劲？’

“‘嗯，这样我才满意，’磨坊主拍着小汉斯的肩膀说道，‘我想让你立刻穿好衣服到山上的磨坊去给我修补一

下谷仓房顶。’

“可怜的小汉斯很着急要到自己的花园里去干活，因为他的花已经有两天没浇水了，可他又不想拒绝磨坊主，因为磨坊主真的是他的一个好朋友。

“‘要是我说我很忙，你会认为我不够朋友吗？’他怯生生地问道。

“‘噢，说实在的，’磨坊主回答道，‘我觉得我请你帮忙并不过分，考虑到我就要把我的手推车给你；不过，当然，如果你不愿意，我就回去自己动手。’

“‘啊！那可绝对不行，’小汉斯喊道。他跳下床，穿上衣服，往山上的谷仓去了。

“他在那儿干了整整一天，直到夕阳落山，这时磨坊主走过来，想看看他的进展。

“‘小汉斯，你有没有把谷仓屋顶上的洞补好？’磨坊主用愉快的声音喊道。

“‘补得很好。’小汉斯说着从梯子上走下来。

“‘啊！’磨坊主说，‘没有什么比替别人干活更让人快乐的了。’

“‘听你说话真是莫大的荣幸，’小汉斯擦着额头的汗，坐下来回答道，‘莫大的荣幸！不过，恐怕我永远也不会有你这么美妙的思想。’

“‘哦，你会有的，’磨坊主说，‘不过你必须再努力些。现在你只拥有友谊的实践，有朝一日你也会拥有理论的。’

“‘你真的觉得我会吗？’小汉斯问道。

“‘我毫不怀疑，’磨坊主回答道，‘不过，你既然已经补好了谷仓屋顶，最好还是回去休息去吧，因为想让你明天帮我赶羊到山上去。’

“‘对此，可怜的小汉斯什么也不敢说，第二天一大早，磨坊主就赶着他的羊群来到了小村舍旁，汉斯便赶着它们上山去了。往返的路花了整整一天，回到家时他累坏了，一坐在椅子上就睡着了，醒来时天已经大亮了。

“‘今天能在花园里待一天，真让人感到快乐啊！’说着，他就马上动身干活去了。

“然而他永远也不能料理自己的花，因为他的朋友磨坊主总是不停地跑来，打发他出远门办事，或叫他到磨坊去帮忙。小汉斯常常很苦恼，因为他担心他的花会认为他已经把它们给忘了。但是，他一想到磨坊主是最好的朋友，便以此自我安慰。‘再说，’他常常说，‘他还要把手推车给我，那样做真是慷慨大方。’

“就这样，小汉斯不停地为磨坊主干活，而磨坊主用各种动听的语言赞美友谊，汉斯把这些话都记在笔记本上，晚上的时候常常拿出来读一读，因为他是个喜欢研究的人。

“一天晚上，小汉斯正坐在炉火旁，忽然传来了响亮的敲门声。这是个狂暴的夜晚，风不停地刮着，在小村舍四周咆哮。起初，他还以为这不过是一场风暴，可是又传来了第二次敲门声，接着是第三次，比前两次更响亮了。

“‘一定是个可怜的行路人。’小汉斯自言自语地朝门口跑去。

“门口站着磨坊主，一只手提着灯笼，一只手拄着大拐杖。

“‘亲爱的小汉斯，’磨坊主喊道，‘大事不好了。我的小儿子从梯子上摔下来了，受了伤，我准备去请医生。可是医生住的太远，天又这么恶劣，我刚刚忽然想到了你，要是你能替我去请医生就太好了。你知道，我将要把我的手推车给你，所以，作为回报，你应该为我做些什么，这样才算公平。'

"'那当然，'小汉斯大声说道，'你能来找我帮忙，那是对我的褒奖，我这就动身。不过，你得把灯笼借给我，夜太黑，我担心会掉到水沟里去。'

"'很对不起，'磨坊主回答说，'可这是我的新灯笼，要是出了什么毛病，那可是我的巨大损失。'

"'噢，没关系，那我就不用它了。'小汉斯大声说着，取下皮大衣，戴上暖和的红沿帽，又在自己的脖子上系上围巾，然后就出发了。

"那可真是一场可怕的风暴，夜色漆黑，小汉斯什么也看不见。风刮得很猛，他几乎站不起来。不过，小汉斯非常勇敢，走走了大约三个小时之后，来到了医生的房前，敲响了门。

"'谁呀？'医生从卧室窗口探出头来大声问道。

"'医生，我是小汉斯。'

“‘你要做什么，小汉斯？’

“‘磨坊主的儿子从梯子上摔下来受伤了，磨坊主请你马上去看看。’

“‘好的！’医生说完，牵来了马，穿上大靴子，提上灯笼，走下楼，骑上马朝磨坊主的家奔去，而小汉斯却艰难地在后面跋涉。

“然而风暴却越来越猛烈，大雨如注，小汉斯看不清方向，也追不上马。最后，他迷了路，在一片沼泽地上漫无目的地乱闯。沼泽地是非常危险的地方，布满了深坑，可怜的小汉斯就这样淹死在这里。第二天，几位牧羊人发现他的尸体漂浮在一个大水塘上，便把它抬回到他的小村舍中。

‘每个人都参加了小汉斯的葬礼，因为他深受人们喜欢。磨坊主最为悲痛。

“‘既然我是他最好的朋友，’磨坊主说，‘那我就应该站在最显眼的地方。’因此，他身穿黑色长袍走在队伍的最前边，还不时地用一块大手帕擦着眼泪。

“‘小汉斯的死的确对每个人都是巨大的损失。’铁匠说。此刻葬礼已经结束，人们都舒适地坐在小酒馆里，喝着香料酒，吃着甜蛋糕。

"'不管怎么说，对我而言是个巨大的损失，'磨坊主回答道，'怎么说呢，我差不多都要把我的手推车给他了，可现在，我真不知怎么处理它了，放在家里碍事，破破烂烂的，想卖掉又赚不了一分钱么。我以后决不更再送人什么东西了。慷慨的人总是承受痛苦。'"

"然后呢？"过了好一阵子，水鼠才问。

"哦，故事讲完了。"朱顶雀说。

"可是磨坊主怎么样了？"水鼠问道。

"噢！我真不知道，"朱顶雀回答说，"我觉得我不会在乎这个。"

"显而易见，你的本性中没有同情。"水鼠说。

"恐怕你还没有明白这故事的道德意义。"朱顶雀反驳说。

"什么意义？"水鼠尖叫着问道。

"道德意义。"

"你是说，这故事还有道德意义？"

“当然有。”朱顶雀说。

“哼，真是的，”水鼠非常生气地说，“我觉得你应该在讲故事之前就告诉我这个。如果你告诉了我，我肯定不会听了。实际上，我应该像那个评论家一样说一声‘哼！’不过我现在可以这么说了。”于是，他大声“哼！”了一声，尾巴一甩，回到了洞中。

“你怎样评价水鼠？”过了好几分钟，鸭子才用脚掌扑腾着上了岸来，说道：“他有好多优点，不过对我来说，我有一个母亲的情感，我只要看见那些决意不要结婚的单身汉，总忍不住落泪。”

“我真担心我惹着他了，”朱顶雀回答道，“实际上，我讲给他的故事是有道德意义的。”

“啊，这样做可是很危险的哦！”鸭子说。

我完全同意她的话。

图书在版编目（CIP）数据

送给朋友的花束/（英）米歇尔·门德尔松编著；丁林棚，朱红梅译. —北京：中译出版社，2023.6

（关于人生这场旅行的四件小事）

书名原文：WHY FRIENDSHIP MATTERS

ISBN 978-7-5001-7304-5

I. ①送… II. ①米… ②丁… ③朱… III. ①世界文学—现代文学—作品综合集 IV. ①I11

中国国家版本馆CIP数据核字（2023）第021279号

著作权合同登记号：图字01–2022–2729

送给朋友的花束

SONGGEI PENGYOU DE HUASHU

出版发行：中译出版社
地　　址：北京市西城区普天德胜大厦主楼 4 层
电　　话：（010）68359827，68359303（发行部）；68359725（编辑部）
传　　真：（010）68357870　　**邮　　编：**100088
电子邮箱：book@ctph.com.cn　　**网　　址：**http://www.ctph.com.cn

出 版 人：乔卫兵　　**总 策 划：**刘永淳
策划编辑：范祥镇　王诗同　　**责任编辑：**范祥镇
文字编辑：王诗同　　**版权支持：**马燕琦
营销编辑：吴雪峰　董思媛　　**封面设计：**黄　浩　Kay

排　　版：北京中文天地文化艺术有限公司　　**印　　刷：**北京顶佳世纪印刷有限公司
经　　销：新华书店

规　　格：710 mm×1000 mm　1/32
字　　数：102千字　　**印　　张：**7
版　　次：2023年6月第一版　　**印　　次：**2023年6月第一次

ISBN 978-7-5001-7304-5　　**定　　价：**32.00元